CONTEMPORARY SPANISH TEXTS

General Editor

FEDERICO DE ONÍS

Professor of Spanish Literature, Columbia University, formerly of the University of Salamanca

CONTEMPORARY SPANISH TEXTS

General Editor

FEDERICO DE ONÍS

1. **Jacinto Benavente: Tres comedias.** JOHN VAN HORNE.
2. **Vicente Blasco Ibáñez: La batalla del Marne** from *Los cuatro jinetes del Apocalipsis.* FEDERICO DE ONÍS.
3. **Martínez Sierra: Canción de cuna.** A. M. ESPINOSA.
4. **Juan Ramón Jiménez: Platero y yo.** G. M. WALSH.
5. **Linares Rivas: El abolengo.** P. G. MILLER.
6. **Antología de cuentos españoles.** HILL AND BUCETA.
7. **Azorín: Las confesiones de un pequeño filósofo.** L. IMBERT.
8. **Antología de cuentos americanos.** L. A. WILKINS.
9. **Marquina: En Flandes se ha puesto el sol.** HESPELT AND SANJURJO.
10. **Martínez Sierra: Sol de la tarde.** C. D. COOL.
11. **Quinteros: La flor de la vida.** REED AND BROOKS.
12. **Pío Baroja: Zalacaín el aventurero.** A. L. OWEN.
13. **Julio Camba: La rana viajera.** F. DE ONÍS.
14. **Pérez Lugín y Linares Rivas: La casa de la Troya.** MARTÍN AND DE MAYO.
15. **Rubén Darío: Poetic and Prose Selections.** ROSENBERG AND LOWTHER.
16. **Palacio Valdés: La novela de un novelista.** ALPERN AND MARTEL.
17. **Concha Espina: Mujeres del Quijote.** W. M. BECKER.
18. **Antología de ensayos españoles.** ANTONIO ALONSO.

Heath's Modern Language Series

LA BATALLA DEL MARNE

AN EPISODE OF

LOS CUATRO JINETES DEL APOCALIPSIS

BY

VICENTE BLASCO IBÁÑEZ

EDITED BY

FEDERICO DE ONÍS

D. C. HEATH & CO., PUBLISHERS

BOSTON NEW YORK CHICAGO

3 F 9

Printed in U. S. A.

PREFACE

THE culminating episode of the novel of Vicente Blasco Ibáñez, *Los cuatro jinetes del Apocalipsis*, first published in 1916, forms the text of this publication. It is a long, homogeneous passage, easily isolated from the rest of the novel, in which the German invasion of France, and the defeat of the Germans at the Marne are described. For this reason the book has been named *La batalla del Marne*. It seemed possible, however, merely by adding a few pages, to give the students an idea of the character of the entire work, and with this object in view it was thought best to prefix an introductory chapter entitled *Antecedentes*. This includes a passage from the first part of the novel, and, together with the bracketed paragraphs added by the editor, conveys a serviceable summary of its plot.

Perhaps it would be well to add the reasons that have moved the editor to choose from the work of Blasco Ibáñez, an author who could not be omitted from the Contemporary Spanish Texts, the part contained in this volume. The novels of Blasco Ibáñez, like those of many other notable writers, are somewhat difficult for classroom use. The majority have so marked a regional character that their subject matter and the language they employ combine to make their reading very difficult. The political and social problems presented in his other works are likewise beyond the understanding of our young students. And still more unsuited for school use are those that deal with complicated sentimental problems. *La batalla del Marne*, on the contrary, is concerned with a theme of universal interest. It is written in everyday language, free from affectation. The vocabulary is abundant, but made up of words of common usage and, therefore, worth learning; that part of it which is composed of military terms offers but little difficulty, as through the war such words have come to form an international vocabulary. The subject matter is gripping; it has been generally conceded that the extraordinary popularity of *Los cuatro jinetes del Apocalipsis* throughout the world is due to this passage. The description of the battle has also a great literary value, as it is one of the best examples that can be found of the art of Blasco Ibáñez, and will probably become classic like Hugo's description of the battle of Waterloo.

The text is preceded by a short biography of the author and a few appreciations of his works, all in Spanish, without other pretension than that of giving students an idea of one of the contemporary literary figures of Spain, and, at the same time, preparing them for an understanding of the character and literary worth of the text. It is followed by brief and concise Notes, in which an attempt has been made to say only what is necessary to explain such textual difficulties as the student may be unable to solve with the aid of the Vocabulary. The Vocabulary contains all the words in the text and in the account of the author's life and works. In its compilation the editor has always sought the greatest possible exactness in translating into English the concrete significance of each word as it is used in the text. This has been possible, thanks to the collaboration of Miss Harriet V. Wishnieff, whose name should, perhaps, in justice appear on the title-page. Minor aid, but none the less appreciated, has been given the editor by Professor E. C. Hills, Dr. Alexander Green, and Mr. José Padín of D. C. Heath and Company. I am equally grateful to my friend and countryman, D. Vicente Blasco Ibáñez, first, for his permission to publish the present edition, and, second, for much of the information that has been used in the biography.

F. DE O.

VICENTE BLASCO IBÁÑEZ

VICENTE BLASCO IBÁÑEZ

Vicente Blasco Ibáñez nació en Valencia en 1867. Valencia, «la perla del Mediterráneo», es la capital de una región española agraciada con los más preciosos dones naturales y trabajada por las más hondas conturbaciones históricas. La suavidad de su clima y la fecundidad prodigiosa de su tierra la hicieron, como a una mujer hermosa, objeto del amor y de la codicia de los pueblos comerciantes y conquistadores; por su posesión se combatieron las más enconadas luchas, y como resultado de todo ello griegos y fenicios, romanos y cartagineses, moros y judíos, castellanos y aragoneses pasaron por allí contribuyendo en mayor o menor grado a formar el carácter complejo e inconfundible del pueblo valenciano. La Europa y el África mediterráneas parecen entrelazarse en aquella tierra levantina donde los hombres son agricultores y comerciantes a la vez que artistas y conquistadores, donde a una codicia catalana y un sensualismo italiano y una locuacidad provenzal se unen la tenacidad aragonesa, el orgullo castellano, el fanatismo judío y el espíritu vengativo marroquí.

Vicente Blasco Ibáñez es un producto de esta tierra luminosa y apasionada, cuya luz y cuyas pasiones penetran por todas partes el alma y la obra del escritor. Los rasgos del carácter de Blasco Ibáñez son ante todo la fortaleza, la exuberancia y la generosidad. No es Blasco Ibáñez un escritor profesional ni un artista encerrado en su torre de marfil; es un luchador que ha ensayado su energía triunfadora en todos los combates de la vida. Por eso su obra es cálida y fuerte, porque antes que escrita ha sido vivida.

Su temperamento batallador le arrastró desde muy joven a mezclarse en las luchas políticas de su país. Perteneció siempre al partido republicano, que seguía luchando por la completa incorporación a la vida pública española de los principios de libertad, igualdad y fraternidad entre los hombres.

Estas campañas políticas le conquistaron una gran popularidad y no pocas persecuciones. Sus ataques a la monarquía, su defensa de la independencia de Cuba, su intervención en agitaciones populares le valieron diversas sentencias de destierro y de prisión. Pero el pueblo valenciano le eligió diputado seis veces consecutivas, y en el Congreso como en los mitins populares continuó defendiendo los ideales democráticos.

Su oratoria cálida y exuberante encendía el entusiasmo de las masas. «El Pueblo», periódico por él fundado en Valencia, servía de órgano al partido republicano y daba la batalla a las fuerzas reaccionarias. Una casa editorial por él fundada e inspirada difundía en traducciones baratas el pensamiento de Europa en forma popular accesible a todo el mundo. Blasco Ibáñez llegó a ser un ídolo popular en toda España, pero sobre todo en Valencia, donde su participación en las luchas cotidianas mostraba más a las claras en él las extraordinarias cualidades personales del director de hombres. En aquel pueblo apasionado, fanático y violento no bastaba la fuerza de la palabra y de las ideas para mantener el prestigio y autoridad sobre las masas; hacía falta que *el hombre* impusiera respeto y admiración por cualidades humanas elementales como la simpatía, la llaneza, el desprecio de la vida, el valor personal. Las diferencias políticas en Valencia se diriment frecuentemente a tiros en las calles de la ciudad; el olor de la pólvora y el ruido de los disparos son para el valenciano, como para el marroquí, la más excitante de las fiestas. En una palabra, hacer política en Valencia equivale a jugarse la vida cada día. Blasco Ibáñez triunfó en este terreno como en todos. Expuso su vida en las luchas callejeras y en varios duelos, salvándose a veces de una muerte segura por un verdadero milagro de la suerte que parecía reservarle para mejores destinos.

Durante toda esta agitada época de su vida había compuesto Blasco Ibáñez varias novelas, en las que pintaba con fines puramente artísticos aquella tierra hermosa y vibrante, teatro de sus luchas políticas. Aquellas novelas bastaron a colocarle entre los novelistas de primera fila precisamente en el momento en que aún escribían o estaban en la plenitud de su vigor los grandes maestros de la novela moderna española Valera, Pereda, Clarín, Palacio Valdés y sobre todos ellos la figura más grande que España ha producido en el siglo XIX, Don Benito Pérez Galdós.[1] El joven autor de *Flor de Mayo* y de *La barraca* logró como novelista una consagración más unánime e indiscutible que como político.

En el fondo Blasco Ibáñez mucho más que un hombre de acción era un artista, lo cual explica su apartamiento de las pequeñas luchas políticas desde 1903 para poder consagrarse por completo a su vocación literaria. No significó este apartamiento el abandono de sus ideales de mejoramiento social; por el contrario sus novelas se convirtieron más y más en expresión de dichos ideales y en instrumento de propaganda reformadora. Pero el fin artístico era el dominante y la vida de Blasco es desde entonces la del hombre consagrado a su arte. Viaja por España y el extranjero, estudia minuciosamente los tipos y el ambiente de cada una de sus novelas, *vive* por semanas, por meses la vida pintada en ellas, y una vez lleno de sus asuntos se retira temporalmente para escribirlas.

En 1909 llevó a cabo un viaje por la América del Sur donde dió gran número de conferencias que contribuyeron a estrechar los lazos de simpatía entre la gran familia de pueblos hispánicos. Pero el espíritu ardoroso y aventurero de Blasco Ibáñez no podía pasar por América sin sentirse arrastrado a la acción y a la aventura. Durante cinco años vivió en la Argentina como un moderno explorador, adquirió tierras, fundó pueblos y probó la experiencia de la lucha por la fortuna. Para tener la experiencia completa, este gran triunfador probó tras el éxito el fracaso, sufriendo las consecuencias de una gran crisis económica que sobrevino por entonces en la Argentina.

Regresó a Europa en el momento en que acababa de estallar

la guerra de 1914; hizo el viaje en el último barco alemán que tocó las costas de Francia. Francia era para Blasco Ibáñez como una segunda patria; en ella había vivido largo tiempo cuando forzosa o voluntariamente abandonaba España; en ella había encontrado sus maestros, sus amigos y sus modelos literarios; en ella encontraba realizados muchos de sus ideales republicanos. Por todo esto, cuando al desembarcar se encontró con Francia invadida y en peligro, y con el mundo entero empeñado en la más horrenda de las luchas, Blasco Ibáñez se quedó en Francia poniendo a servicio de ella toda su energía de escritor y de propagandista. En medio de un trabajo abrumador y de los horrores de la guerra, pudo Blasco Ibáñez escribir sus dos últimas novelas en las que trató de recoger y expresar las emociones de la gigantesca lucha. Hoy parece que la atención y la admiración del escritor español se han vuelto hacia los Estados Unidos donde sus obras han tenido una acogida tan calurosa y popular.

La obra de Blasco Ibáñez sigue una evolución que puede determinarse con bastante claridad. Hay una primera época, que coincide con sus actividades políticas en Valencia, en la cual su obra tiene un carácter esencialmente regional. A ella pertenecen una porción de cuentos (*Cuentos valencianos* y *La condenada*), y las novelas *Arroz y tartana* (1894), *Flor de Mayo* (1895), *La barraca* (1898), y *Cañas y barro* (1902). Según la opinión general estas obras son entre todas las del autor las que ofrecen mayor plenitud artística. Son estas novelas un vivo retrato de la región valenciana, de su luz y de sus paisajes, de la huerta y del mar, y de los trabajos, prejuicios, amores y dolores de sus hombres. Las pasiones están sentidas con tal fuerza y sinceridad, y la naturaleza reproducida con tal veracidad visual, que estas novelas se levantan sobre el localismo de sus asuntos y por encima de un interés pintoresco ofrecen una sensación original de la humanidad y la naturaleza.

La catedral (1903), novela sobre la tradición religiosa española simbolizada en la catedral de Toledo, abre una segunda época. A ella corresponden también *El intruso* (1904), análisis del poder social del clericalismo, *La bodega* (1905), cuadro de la vida social del pueblo andaluz, y *La horda* (1905), pintura de los bajos fondos de la vida madrileña. Son todas éstas novelas que podríamos llamar sociales, porque en ellas, como en ciertas novelas de Emilio Zola, el asunto es un problema social, una realidad social vista a la luz de un ideal de justicia y de progreso. En estas obras el prodigioso poder descriptivo que el autor mostró en sus novelas anteriores se aplica a otras regiones y a otros mundos de la vida española dándonos descripciones intensas de ellos mezcladas con comentarios en los que se aprecia la fuerza retórica y el espíritu apostólico del orador y del político.

En un tercer grupo podríamos reunir varias novelas en las que predomina una tendencia psicológica. Este grupo había sido anunciado por la novela *Entre naranjos* (1900) que cronológicamente corresponde a la época regional y que es regional por los más de los elementos del cuadro. El análisis de almas humanas extrañas y de conflictos, prejuicios y perversiones sentimentales se encuentra en formas diversas en *La maja desnuda* (1906), *Sangre y arena* (1908), *Los muertos mandan* (1909), y *Luna Benamor* (1909).

Los argonautas (1914) abrían un nuevo ciclo, que podríamos llamar americano. Iba a expresar Blasco Ibáñez en una serie de novelas, como fruto de sus experiencias en la América del Sur, su visión del alma americana. Pero la guerra interrumpió este propósito trayendo ante los ojos del autor una realidad más extraordinaria y conmovedora que cuantas el mundo había presenciado hasta entonces. La descripción de esta realidad es el objeto de dos novelas, *Los cuatro jinetes del Apocalipsis* (1916) y *Mare nostrum* (1917), que constituyen la última fase de la producción de nuestro autor.

Los cuatro jinetes del Apocalipsis es la novela cuyo episodio culminante se reproduce en este volumen. La obra fué concebida sobre los campos del Marne a raíz de la gran batalla que, como ahora vemos claramente, decidió la suerte de la guerra. Pero cuando Blasco Ibáñez componía su obra el porvenir era un enigma impenetrable y una opresión inmensa pesaba sobre el mundo. Y sin embargo Blasco Ibáñez supo ver en aquellos momentos en medio de la tragedia el verdadero carácter, la significación y las consecuencias del primer triunfo de Francia.

Pero no nos equivoquemos creyendo que esta obra nos interesa porque en ella se describe la guerra. Centenares de libros se han escrito describiendo todos los aspectos de la gran lucha, y casi todos ellos han pasado sin impresionar a los públicos. En cambio *Los cuatro jinetes del Apocalipsis* han sido leídos en todo el mundo con idéntica emoción. Podría pensarse que este éxito se debe a que en esta obra la descripción de la guerra es más vívida y exacta que en otras, gracias a las dotes extraordinarias del autor. Pero no debemos olvidar que no hay solamente la guerra en la obra como en la guerra no había solamente la guerra, es decir, el choque material de los ejércitos.

Muy lejos de la guerra pasa toda la primera parte de la obra en un mundo donde hombres nacidos en diversas tierras creen haber olvidado sus patrias y conviven en paz labrándose con su trabajo su fortuna y su porvenir. La familia del viejo Madariaga, la vida en la estancia argentina, ofrecen en medio de su localismo realista un carácter universal americano. ¿ Porqué el autor ha dedicado una parte tan grande de esta novela, cuyo asunto capital parece ser la guerra, a contarnos algo tan diferente y tan lejano como es la vida en la República Argentina? Cuando Blasco Ibáñez escribía su novela aún permanecían neutrales los Estados Unidos y todos los demás pueblos americanos; sólo una adivinación genial pudo permitir al novelista bosquejar en el cuadro limitado de sus personajes los sentimientos y fuerzas espirituales que la guerra iba a despertar, como en sus almas, en el alma toda de

América, dando lugar al hecho más admirable, más decisivo y de más trascendencia histórica de toda la guerra: la intervención de los Estados Unidos.

Blasco Ibáñez vió y pintó con sus ojos mediterráneos el lado físico de la guerra dejándonos una implacable reproducción fotográfica de sus escenas de violencia, de dolor y de miseria; analizó con intensidad apasionada el carácter moral de los ejércitos combatientes; pero su mirada penetró más profundamente hasta encontrar el sentido universal y humano de la contienda. Y lo encontró mediante la introducción del elemento americano, en cuyas reacciones se da la sensación creciente de la unidad radical del mundo americano y el europeo, más fuerte y más honda que todas sus diferencias. Este factor, que los hechos posteriores han mostrado ser el factor esencial sacado a luz por la guerra, es igualmente esencial en *Los cuatro jinetes del Apocalipsis.*

Por esta razón no puede pensarse que sea éste un libro de ocasión y de momento, interesante solamente mientras dure la emoción momentánea y anormal producida por la guerra. Pasará esta emoción, se acabará con la vida de esta generación el dolor de tantos millones de almas destrozadas, se acabarán quizá hasta los odios que ayer parecían inextinguibles; pero la guerra que estalló en 1914 no será un episodio en la historia de los pueblos. Una nueva era se ha abierto en la humanidad. Y los hombres por venir siempre se acercarán con interés y emoción a este primer libro en que otro hombre, contemporáneo de los hechos, testigo presencial de ellos, supo expresar con más intensidad que nadie los odios y anhelos, los horrores y heroicidades del momento crítico en que empezó a crearse la nueva Humanidad.

LA BATALLA DEL MARNE

I. ANTECEDENTES

[Un joven francés, Marcelo Desnoyers, abandonó su patria al estallar la guerra franco-prusiana de 1870. Luchó por la vida, con varia fortuna, en la República Argentina, hasta que entró al servicio de un rico estanciero español, con cuya hija acabó por casarse. El español Madariaga era un personaje extraordinario y pintoresco, que, viviendo como un gaucho, había acumulado millones y regía como un patriarca sus haciendas, pobladas de hombres y de innumerables bestias. Su otro yerno era un joven alemán llamado Karl Hartrott. En el amplio suelo argentino todos vivían más o menos unidos: un algo nuevo — el alma americana — se sobreponía a las diferencias raciales originarias y actuaba como un fundente.

El viejo Madariaga,] sentado en las noches veraniegas bajo un cobertizo de la casa, se extasiaba patriarcalmente contemplando a su familia en torno de él. La calma nocturna se iba poblando de zumbidos de insectos y cloqueos de ranas. De los lejanos ranchos venían los cantares de los peones que preparaban su cena. Era la época de la siega, y grandes bandas de emigrantes se alojaban en la estancia para el trabajo extraordinario.

Madariaga había conocido días tristes de guerras y violencias. Se acordaba de los últimos años de la tiranía de Rosas presenciados por él al llegar al país. Enumeraba las diversas revoluciones nacionales y provinciales en las que había tomado parte, por no ser menos que sus vecinos. Pero todo esto había desaparecido y no volvería a repetirse. Los tiempos eran de paz, de trabajo y abundancia.

— Fíjate, gabacho — decía espantando con los chorros de humo de su cigarro a los mosquitos que volteaban en torno de él.—Yo soy español, tú francés, Karl es alemán, mis niñas argentinas, el cocinero ruso, su ayudante griego, el peón de cuadra inglés, las chinas de la cocina, unas son del país, otras gallegas o italianas, y entre los peones los hay de todas castas y leyes . . . ¡ Y todos vivimos en paz ! En Europa tal vez nos habríamos golpeado a estas horas; pero aquí, todos amigos.

Y se deleitaba escuchando las músicas de los trabajadores: lamentos de canciones italianas con acompañamiento de acordeón, guitarreos españoles y criollos apoyando a unas voces bravías que cantaban el amor y la muerte.

— Esto es el arca de Noé — afirmó el estanciero.

Quería decir la torre de Babel, según pensó Desnoyers, pero para el viejo era lo mismo.

— Yo creo — continuó — que vivimos así porque en esta parte del mundo no hay reyes y los ejércitos son pocos, y los hombres sólo piensan en pasarlo lo mejor posible gracias a su trabajo. Pero también creo que vivimos en paz porque hay abundancia y a todos les llega su parte . . . ¡ La que se armaría si las raciones fuesen menos que las personas !

Volvió a quedar en reflexivo silencio, para añadir poco después:

— Sea por lo que sea, hay que reconocer que aquí se vive más tranquilo que en el otro mundo. Los hombres se aprecian por lo que valen y se juntan sin pensar en si proceden de una tierra o de otra. Los mozos no van en rebaño a matar a otros mozos que no conocen y cuyo delito es haber nacido en el pueblo de enfrente . . . El hombre es una mala bestia en todas partes, lo reconozco; pero aquí come, tiene tierra de sobra para tenderse, y es bueno, con la bondad de un perro harto. Allá son demasiados, viven en montón, estorbándose unos a otros, la pitanza es escasa y se vuelven rabiosos con facilidad. ¡ Viva la paz, gabacho, y la existencia tranquila ! Donde uno se encuentre bien y no corra el peligro de que lo maten por cosas que no entiende, allí está su verdadera tierra.

Y como un eco de las reflexiones del rústico personaje, Karl, sentado en el salón ante el piano, entonaba a media voz un himno de Beethoven. « Cantemos la alegría de la vida; cantemos la libertad. Nunca mientas y traiciones a tu semejante, aunque te ofrezcan por ello el mayor trono de la tierra. »

[La muerte del viejo Madariaga deshizo la unidad familiar. Los yernos, dividida su fortuna, quedaron millonarios, y empezaron la nueva vida, cada cual según sus preferencias. El alemán volvió a su país de origen donde vivió de modo fastuoso y deslumbrador con los millones de Madariaga; el francés continuó en la patria de adopción, sintiéndose argentino antes que nada, y sin pensar en volver a Francia, hasta que sus hijos mozos le arrastraron a ello, atraídos por el encanto que París ejerce sobre el mundo entero y muy especialmente sobre los hispanoamericanos.]

La familia, compuesta de un hijo y una hija, se trasladó a París. El joven Julio Desnoyers, siguiendo los impulsos de su raza latina, prefirió el arte a la ingeniería y quiso ser pintor. El arte, el amor y el placer llenaban la
5 vida del joven hispanoamericano, guapo y rico, de temperamento fino, ligero, impresionable y ardiente.

Así vivía la familia argentina en Francia cuando estalló la gran guerra de 1914. La sensación de la guerra y del peligro de Francia despertó en Desnoyers
10 padre los sentimientos franceses adormecidos por tanto tiempo, en realidad los más profundos y vivos de su espíritu. Ahora, viejo, su fuga a América a los diez y nueve años se le aparecía como una deuda contraída con su patria. No quiso huír hacia el Sur, como tantos
15 otros, como su familia misma, cuando los alemanes, en avalancha formidable, invadían el suelo francés y se dirigían a París. Sentía en medio de su vejez un valor y una indiferencia ilimitados ante el peligro. Y entonces, exaltado y solo, concibió la idea de acercarse
20 aun más al peligro marchando al único punto que él poseía de tierra francesa: un viejo castillo, situado en un pueblecito cerca del Marne, que él había comprado a su llegada a Francia, convirtiéndolo en residencia de placer y de descanso. El buen viejo quería proteger con
25 su presencia las riquezas artísticas que en su castillo guardaba.]

II. LA RETIRADA

Este viaje puso en contacto a don Marcelo con el extraordinario movimiento que la guerra había desarrollado en las vías férreas. Su tren tardó catorce horas en salvar una distancia corrida en dos normalmente. Se componía de vagones de carga llenos de víveres y cartuchos, con las puertas cerradas y selladas. Un coche de tercera clase estaba ocupado por la escolta del tren: un pelotón de territoriales. En uno de segunda se instaló Desnoyers con el teniente que mandaba este grupo y varios oficiales que iban a incorporarse a sus regimientos después de terminar las operaciones de movilización en las poblaciones que guarnecían antes de la guerra. Los vagones de cola contenían sus caballos.

Se detuvo el tren muchas veces para dejar paso a otros que se le adelantaban repletos de soldados o volvían hacia París con muchedumbres fugitivas. Estos últimos estaban compuestos de plataformas de carga, y en ellas se apelotonaban mujeres, niños, ancianos, revueltos con fardos de ropas, maletas y carretillas que les habían servido para llevar hasta la estación todo lo que restaba de sus ajuares. Eran a modo de campamentos rodantes que se inmovilizaban muchas horas y hasta días en los apartaderos, dejando paso libre a los convoyes impulsados por las necesidades apremiantes de la guerra. La muchedumbre, habituada a las detenciones interminables, desbordaba fuera del tren, instalándose ante la locomotora muerta o esparciéndose por los campos inmediatos.

En las estaciones de alguna importancia todas las vías estaban ocupadas por rosarios de vagones. Las máquinas, a gran presión, silbaban, impacientes de partir. Los grupos de soldados dudaban ante los diversos trenes, equivocándose, descendiendo de unos coches para instalarse en otros. Los empleados, calmosos y con aire 5 de fatiga, iban de un lado a otro guiando a los hombres, dando explicaciones, disponiendo la carga de montañas de objetos. En el convoy que llevaba a Desnoyers los territoriales dormitaban, acostumbrados a la monótona operación de dar escolta. Los encargados de los caballos 10 habían abierto las puertas corredizas de los vagones, sentándose en el borde con las piernas colgantes. El tren marchaba lentamente en la noche, a través de los campos de sombra, deteniéndose ante los faros rojos para avisar su presencia con largos silbidos. En algunas es-15 taciones se presentaban muchachas vestidas de blanco, con escarapelas y banderitas sobre el pecho. Día y noche estaban allí, reemplazándose, para que no pasase un tren sin recibir su visita. Ofrecían en cestas y bandejas sus obsequios a los soldados: pan, chocolate, frutas. 20 Muchos, por hartura, intentaban resistirse, pero habían de ceder finalmente ante el gesto triste de las jóvenes. Hasta Desnoyers se vió asaltado por estos obsequios del entusiasmo patriótico.

Pasó gran parte de la noche hablando con sus com-25 pañeros de viaje. Los oficiales sólo tenían vagos indicios de dónde podrían encontrar a sus regimientos. Las operaciones de la guerra cambiaban diariamente su situación. Pero fieles al deber seguían adelante, con la esperanza de llegar a tiempo para el combate decisivo. El 30 jefe de la escolta llevaba realizados algunos viajes y era el único que se daba cuenta exacta de la retirada. Cada vez hacía el tren un trayecto menor. Todos parecían desorientados. ¿ Por qué la retirada ?... El ejército había sufrido reveses indudablemente, pero estaba entero, y según su opinión debía buscar el desquite en los mismos lugares. La retirada dejaba libre el avance del enemigo. ¿ Hasta dónde iban a retroceder ?... ¡ Ellos que dos semanas antes discutían en sus guarniciones el punto de Bélgica donde recibirían los adversarios el golpe mortal y por qué lugares invadirían a Alemania las tropas victoriosas !...

Su decepción no revelaba desaliento. Una esperanza indeterminada pero firme emergía sobre sus vacilaciones: el generalísimo era el único que poseía el secreto de los sucesos. Y Desnoyers aprobó, con el entusiasmo ciego que le inspiraban las personas cuando depositaba en ellas su confianza. ¡ Joffre !... El caudillo serio y tranquilo lo arreglaría todo finalmente. Nadie debía dudar de su fortuna: era de los hombres que dicen siempre la última palabra.

Al amanecer abandonó el vagón. « Buena suerte. » Y estrechó las manos de aquellos jóvenes animosos, que iban a morir tal vez en breve plazo. El tren pudo seguir su camino inmediatamente al encontrar por casualidad la vía libre, y don Marcelo se vió solo en una estación. En tiempo normal salía de ella un ferrocarril secundario que pasaba por Villeblanche; pero el servicio estaba suspendido por falta de personal. Los empleados habían pasado a las grandes líneas, abarrotadas por los transportes de guerra.

Inútilmente buscó, con los más generosos ofrecimientos, un caballo, un simple carretón tirado por una bestia cualquiera, para continuar su viaje. La movilización acaparaba lo mejor, y los demás medios de transporte

habían desaparecido con la fuga de los medrosos. Había que hacer a pie una marcha de quince kilómetros. El viejo no vaciló: ¡ adelante ! Y empezó a caminar por una carretera blanca, recta, polvorienta, entre tierras
5 llanas e iguales que se sucedían hasta el infinito. Algunos grupos de árboles, algunos setos verdes y las techumbres de varias granjas alteraban la monotonía del paisaje. Los campos estaban cubiertos de rastrojos de la cosecha reciente. Los pajares abullonaban el suelo con sus conos
10 amarillentos, que empezaban a obscurecerse tomando un tono de oro oxidado. En las vallas aleteaban los pájaros sacudiendo el roció del amanecer.

Los primeros rayos del sol anunciaron un día caluroso. En torno de los pajares vió Desnoyers una agitación
15 de personas que se levantaban, sacudiendo sus ropas y despertando a otras todavía dormidas. Eran fugitivos que habían acampado en las inmediaciones de la estación, esperando un tren que los llevase lejos, sin saber con certeza adónde deseaban ir. Unos procedían de
20 lejanos departamentos: habían oído el cañon, habían visto aproximarse la guerra y llevaban varios días de marcha a la ventura. Otros, al sentir el contagio de este pánico, habían huído igualmente, temiendo conocer los mismos horrores . . . Vió madres con sus peque-
25 ños en los brazos; ancianos doloridos que sólo podían avanzar con una mano en el bastón y otra en el brazo de alguno de su familia; viejas arrugadas e inmóviles como momias, que dormían y viajaban tendidas en una carretilla. Al despertar el sol a este tropel miserable se bus-
30 caban unos a otros con paso torpe, entumecidos aún por la noche, reconstituyendo los mismos grupos del día anterior. Muchos avanzaban hacia la estación con la

esperanza de un tren que nunca llegaba a formarse, creyendo ser más dichosos en el día que acababa de nacer. Algunos seguían su camino a lo largo de los rieles, pensando que la suerte les sería más propicia en otro lugar. 5

Don Marcelo anduvo toda la mañana. La cinta blanca y rectilínea del camino estaba moteada de grupos que venían hacia él, semejantes en lontananza a un rosario de hormigas. No vió un solo caminante que siguiese su misma dirección. Todos huían hacia el Sur; 10 y al encontrar a este señor de la ciudad, que marchaba bien calzado, con bastón de paseo y sombrero de paja, hacían un gesto de extrañeza. Le creían tal vez un funcionario, un personaje, alguien del gobierno, al verle avanzar solo hacia el país que abandonaban a impulsos 15 del terror.

A mediodía pudo encontrar un pedazo de pan, un poco de queso y una botella de vino blanco en una taberna inmediata al camino. El dueño estaba en la guerra, la mujer gemía en la cama. La madre, una vieja 20 algo sorda, rodeada de sus nietos, seguía desde la puerta este desfile de fugitivos que duraba tres días. «¿Por qué huyen, señor? — dijo al caminante —. La guerra sólo interesa a los soldados. Nosotros, gentes del campo, no hacemos mal a nadie y nada debemos temer.» 25

Cuatro horas después, al bajar una de las pendientes que forman el valle del Marne, vió a lo lejos los tejados de Villeblanche en torno de su iglesia, y emergiendo de una arboleda las caperuzas de pizarra que remataban los torreones de su castillo. 30

Las calles del pueblo estaban desiertas. Sólo en los alrededores de la plaza vió sentadas algunas mujeres,

como en las tardes plácidas de otros veranos. La mitad del vecindario había huído; la otra mitad permanecía en sus hogares, por rutina sedentaria, engañándose con un ciego optimismo. Si llegaban los prusianos, ¿ qué po-
5 dían hacerles ? . . . Obedecerían sus órdenes sin intentar ninguna resistencia, y a un pueblo que obedece no es posible castigarlo . . . Todo era preferible antes que perder unas viviendas levantadas por sus antepasados y de las que nunca habían salido.

10 En la plaza vió formando un grupo al alcalde y los principales habitantes. Todos ellos, así como las mujeres, miraron con asombro al dueño del castillo. Era la más inesperada de las apariciones. Cuando tantos huían hacia París, este parisién venía a juntarse con ellos,
15 participando de su suerte. Una sonrisa de afecto, una mirada de simpatía, parecieron atravesar su áspera corteza de rústicos desconfiados. Hacía mucho tiempo que Desnoyers vivía en malas relaciones con el pueblo entero. Sostenía ásperamente sus derechos, sin admitir
20 tolerancias en asuntos de propiedad. Habló muchas veces de procesar al alcalde y enviar a la cárcel a la mitad del vecindario, y sus enemigos le contestaban invadiendo traidoramente sus tierras, matando su caza, abrumándolo con reclamaciones judiciales y pleitos incoheren-
25 tes . . . Su odio al municipio le había aproximado al cura, por vivir éste en franca hostilidad contra el alcalde. Pero sus relaciones con la Iglesia fueron tan infructuosas como sus luchas con el Estado. El cura era un bonachón, al que encontraba cierto parecido físico con Renán, y
30 que únicamente se preocupaba de sacarle limosnas para los pobres, llevando su atrevimiento bondadoso hasta excusar a los merodeadores de su propiedad.

¡ Cuán lejanas le parecían ahora las luchas sostenidas hasta un mes antes ! . . . El millonario experimentó una gran sorpresa al ver cómo el sacerdote, saliendo de su casa para entrar en la iglesia, saludaba al pasar al alcalde con una sonrisa amistosa. 5

Después de largos años de mutismo hostil se habían encontrado en la tarde del 1.° de Agosto al pie de la torre de la iglesia. La campana sonaba a rebato para anunciar la movilización a los hombres que estaban en los campos. Y los dos enemigos, instintivamente, se habían estrechado la mano. ¡ Todos franceses ! Esta unanimidad afectuosa salía también al encuentro del odiado señor del castillo. Tuvo que saludar a un lado y a otro, apretando manos duras. Las gentes prorrumpían a sus espaldas en cariñosas rectificaciones. « Un hombre bueno, sin más defecto que la violencia de su carácter . . . » Y el señor Desnoyers conoció por unos minutos el grato ambiente de la popularidad.

Al verse en el castillo dió por bien empleada la fatiga de la marcha, que hacía temblar sus piernas. Nunca le había parecido tan grande y majestuoso su parque como en este atardecer de verano; nunca tan blancos los cisnes que se deslizaban dobles por el reflejo sobre las aguas muertas; nunca tan señorial el edificio, cuya imagen repetía invertida el verde espejo de los fosos. Sintió necesidad de ver inmediatamente los establos con sus animales vacunos: luego echó una ojeada a las cuadras vacías. La movilización se había llevado sus mejores caballos de labor. Igualmente había desaparecido su personal. El encargado de los trabajos y varios mozos estaban en el ejército. En todo el castillo sólo quedaba el conserje, un hombre de más de cincuenta años, enfermo del pecho, con su familia, compuesta de su mujer y una hija. Los tres cuidaban de llenar los pesebres de las vacas, ordeñando de tarde en tarde sus ubres olvidadas.

En el interior del edificio volvió a congratularse de 5 la resolución que le había arrastrado hasta allí. ¡ Cómo abandonar tales riquezas ! . . . Contempló los cuadros, las vitrinas, los muebles, los cortinajes, todo bañado en oro por el resplandor moribundo del día, y sintió el orgullo de la posesión. Este orgullo le infundió un valor 10 absurdo, inverosímil, como si fuese un ser gigantesco procedente de otro planeta y toda la humanidad que le rodeaba un simple hormiguero que podía borrar con los pies. ¡ Que viniesen los enemigos ! Se consideraba con fuerzas para defenderse de todos ellos . . . Luego, al 15 arrancarle la razón de su delirio heroico, intentó tranquilizarse con un optimismo falto igualmente de solidez. No vendrían. Él no sabía por qué, pero le anunciaba el corazón que los enemigos no llegarían hasta allí.

La mañana siguiente la pasó recorriendo los prados 20 artificiales que había formado detrás del parque, lamentando el abandono en que estaban por la marcha de sus hombres, intentando abrir las compuertas para dar un riego al pasto que empezaba a secarse. Las viñas alineaban sus masas de pámpanos a lo largo de los alambra- 25 dos que las servían de sostén. Los racimos repletos, próximos a la madurez, asomaban entre las hojas sus triángulos granulados. ¡ Ay, quién recogería esta riqueza ! . . .

Por la tarde notó un movimiento extraordinario en 30 el pueblo. Georgette, la hija del conserje, trajo la noticia de que empezaban a pasar por la calle principal automóviles enormes, muchos automóviles, y soldados franceses, muchos soldados. Al poco rato se inició el desfile por una carretera inmediata al castillo, que conducía al puente sobre el Marne. Eran camiones cerrados o abiertos que aún conservaban sus antiguos rótulos comerciales bajo la capa de polvo endurecido y las salpicaduras 5 de barro. Muchos de ellos ostentaban títulos de empresas de París; otros el nombre social de establecimientos de provincias. Y juntos con estos vehículos industriales requisados por la movilización pasaron otros procedentes del servicio público, que causaban en Desnoyers el mis- 10 mo efecto que unos rostros amigos entrevistos en una muchedumbre desconocida. Eran ómnibus de París que aún mantenían en su parte alta los nombres indicadores de sus antiguos trayectos: *Madeleine-Bastille*, *Passy-Bourse*, etc. Tal vez había viajado él muchas veces en 15 estos mismos vehículos, despintados, aviejados por veinte días de actividad intensa, con las planchas abolladas, los hierros torcidos, sonando a desvencijamiento y perforados como cribas.

Unos carruajes ostentaban redondeles blancos con 20 el centro cortado por la cruz roja; otros tenían como marca letras y cifras que sólo podían entender los iniciados en los secretos de la administración militar. Y en todos estos vehículos, que únicamente conservaban nuevos y vigorosos sus motores, vió soldados, muchos sol- 25 dados, pero todos heridos, con la cabeza y las piernas entrapajadas, rostros pálidos que una barba crecida hacía aún más trágicos, ojos de fiebre que miraban fijamente, bocas dilatadas como si se hubiese solidificado en ellas el gemido del dolor. Médicos y enfermeros 30 ocupaban varios carruajes de este convoy. Algunos pelotones de jinetes lo escoltaban. Y entre la lenta marcha de monturas y automóviles pasaban grupos de soldados a pie, con el capote desabrochado o pendiente de las espaldas lo mismo que una capa; heridos que podían caminar y bromeaban y cantaban, unos con un brazo 5 fajado sobre el pecho, otros con la cabeza vendada, transparentándose a través de la tela el rezumamiento interior de la sangre.

El millonario quiso hacer algo por ellos; pero apenas intentó distribuir unas botellas de vino, unos panes, lo 10 primero que encontró a mano, se interpuso un médico, apostrofándole como si cometiese un delito. Sus regalos podían resultar fatales. Y tuvo que permanecer al borde del camino, impotente y triste, siguiendo con ojos sombríos el convoy doloroso . . . Al cerrar la noche ya no 15 fueron vehículos cargados de hombres enfermos los que desfilaban. Vió centenares de camiones, unos cerrados herméticamente, con la prudencia que imponen las materias explosivas; otros con fardos y cajas que esparcían un olor mohoso de víveres. Luego avanzaron 20 grandes manadas de bueyes, que se arremolinaban en las angosturas del camino, siguiendo adelante bajo el palo y los gritos de los pastores con kepis.

Pasó la noche desvelado por sus pensamientos. Era la retirada de que hablaban las gentes en París, pero 25 que muchos no querían creer; la retirada llegando hasta allí y continuando su retroceso indefinido, pues nadie sabía cuál iba a ser su límite. El optimismo le sugirió una esperanza inverosímil. Tal vez esta retirada comprendía únicamente los hospitales, los almacenes, todo 30 lo que se estaciona a espaldas de un ejército. Las tropas querían estar libres de impedimenta para moverse con más agilidad, y la enviaban lejos por ferrocarriles y carreteras. Así debía ser. Y en los ruidos que persistieron durante toda la noche, sólo quiso adivinar el paso de vehículos llenos de heridos, de municiones, de víveres, iguales a los que habían desfilado por la tarde.

Cerca del amanecer el cansancio le hizo dormirse, y despertó bien entrado el día. Su primera mirada fué para el camino. Lo vió lleno de hombres y de caballos que tiraban de objetos rodantes. Pero los hombres llevaban fusiles y formaban batallones, regimientos. Las bestias arrastraban piezas de artillería. Era un ejército . . . era la retirada.

Desnoyers corrió al borde del camino para convencerse mejor de la verdad.

¡ Ay ! eran regimientos como los que él había visto partir de las estaciones de París . . . pero con aspecto muy distinto. Los capotes azules se habían convertido en vestiduras andrajosas y amarillentas; los pantalones rojos blanqueaban con un color de ladrillo mal cocido; los zapatos eran bolas de barro. Los rostros tenían una expresión feroz, con regueros de polvo y sudor en todas sus grietas y oquedades, con barbas recién crecidas, agudas como púas, con un gesto de cansancio que revelaba el deseo de hacer alto, de quedarse allí mismo para siempre, matando o muriendo, pero sin dar un paso más. Caminaban . . . caminaban . . . caminaban. Algunas marchas habían durado treinta horas. El enemigo iba sobre sus huellas, y la orden era de andar y no combatir, librándose por ligereza de pies de los movimientos envolventes intentados por el invasor. Los jefes adivinaban el estado de ánimo de sus hombres. Podían exigir el sacrificio de su vida, ¡ pero ordenarles que marchasen día y noche, siempre huyendo del enemigo, cuando no se consideraban derrotados, cuando sentían gruñir en su interior la cólera feroz, madre del heroísmo!... Las miradas de desesperación buscaban al oficial inmediato, a los jefes, al mismo coronel. ¡No podían más! Una 5 marcha enorme, anonadadora, en tan pocos días, ¿y para qué?... Los superiores, que sabían lo mismo que ellos, parecían contestar con los ojos, como si poseyesen un secreto: «¡Ánimo! Otro esfuerzo... Esto va a terminar muy pronto.»

10 Las bestias vigorosas, pero desprovistas de imaginación, resistían menos que los hombres. Su aspecto era deplorable. ¿Cómo podían ser los mismos caballos fuertes y de pelo lustroso que él había visto en los desfiles de París a principios del mes anterior? Una campaña de 15 veinte días los había envejecido y agotado. Su mirada opaca parecía implorar piedad. Estaban flacos, con una delgadez que hacía sobresalir las aristas de su osamenta y aumentaba el abultamiento de sus ojos. Los arneses, al moverse, descubrían su piel con los pelos arrancados 20 y sangrientas desolladuras. Avanzaban con un tirón supremo, concentrando sus últimas fuerzas, como si la razón de los hombres obrase sobre sus obscuros instintos. Algunos no podían más y se desplomaban de pronto, abandonando a sus compañeros de fatiga. Desnoyers 25 presenció cómo los artilleros los despojaban rápidamente de sus arneses, volteándolos hasta sacarlos del camino para que no estorbasen la circulación. Allí quedaban mostrando su esquelética desnudez, disimulada hasta entonces por los correajes, con las patas rígidas y los 30 ojos vidriosos y fijos, como si espiasen el revoloteo de las primeras moscas atraídas por su triste carroña.

Los cañones pintados de gris, las cureñas, los armones, todo lo había visto don Marcelo limpio y brillante, con ese frote amoroso que el hombre ha dedicado a las armas desde épocas remotas, más tenaz que el de la mujer con los objetos del hogar. Ahora todo parecía sucio, con la pátina del uso sin medida, con el desgaste de un 5 inevitable abandono: las ruedas estaban deformadas exteriormente por el barro, el metal obscurecido por los vapores de la explosión, la pintura gris manchada por el musgo de la humedad.

En los espacios libres de este desfile, en los paréntesis 10 abiertos entre una batería y un regimiento, corrían pelotones de paisanos; grupos miserables que la invasión echaba por delante; poblaciones enteras que se habían disgregado siguiendo al ejército en su retirada. El avance de una nueva unidad los hacía salir del camino, conti- 15 nuando su marcha a través de los campos. Luego, al menor claro en la masa de tropas, volvían a deslizarse por la superficie blanca e igual de la carretera. Eran madres que empujaban carretones con pirámides de muebles y chiquillos; enfermos que casi se arrastraban; octogena- 20 rios llevados en hombros por sus nietos; abuelos que sostenían niños en sus brazos; ancianas con pequeños agarrados a sus faldas como una nidada silenciosa.

Nadie se opuso ahora a la liberalidad del dueño del castillo. Toda su bodega pareció desbordarse hacia la 25 carretera. Rodaban los toneles de la última cosecha, y los soldados llenaban en el chorro rojo el cazo de metal pendiente de su cintura. Luego, el vino embotellado iba saliendo a luz por orden de fechas, perdiéndose instantáneamente en este río de hombres que pasaba y pasa- 30 ba. Desnoyers contempló con orgullo los efectos de su munificencia. La sonrisa reaparecía en los rostros fieros;

la broma francesa saltaba de fila en fila; al alejarse los grupos iniciaban una canción.

Luego se vió en la plaza del pueblo entre varios oficiales que daban un corto descanso a sus caballos antes de reincorporarse a la columna. Con la frente contraída y los ojos sombríos, hablaban de esta retirada inexplicable para ellos. Días antes, en Guisa, habían infligido una derrota a sus perseguidores. Y sin embargo continuaban retrocediendo, obedientes a una orden terminante y severa. «No comprendemos — decían —. No comprendemos.» La marea ordenada y metódica arrastraba a estos hombres que deseaban batirse y tenían que retirarse. Todos sufrían la misma duda cruel: «No comprendemos.» Y su duda hacía aún más dolorosa la marcha incesante, una marcha que duraba día y noche con sólo breves descansos, alarmados los jefes de cuerpo a todas horas por el temor de verse cortados y separados del resto del ejército. «Un esfuerzo más, hijos míos. ¡Ánimo! Pronto descansaremos.» Las columnas, en su retirada, cubrían centenares de kilómetros. Desnoyers sólo veía una de ellas. Otras y otras efectuaban idéntico retroceso a la misma hora, abarcando una mitad de la anchura de Francia. Todas iban hacia atrás con igual obediencia desalentada, y sus hombres repetían indudablemente lo mismo que los oficiales: «No comprendemos... No comprendemos.»

Don Marcelo experimentó de pronto la tristeza y la desorientación de estos militares. Tampoco él comprendía. Vió lo inmediato, lo que todos podían ver: el territorio invadido sin que los alemanes encontrasen una resistencia tenaz; departamentos enteros, ciudades, pueblos, muchedumbres quedando en poder del enemigo a espaldas de un ejército que retrocedía incesantemente. Su entusiasmo cayó de golpe como un globo que se deshincha. Reapareció su antiguo pesimismo. Las tropas mostraban energía y disciplina; ¿ pero de qué podía servir esto si se retiraban casi sin combatir, imposibilita- 5 das, por una orden severa, de defender el terreno ? «Lo mismo que en el 70», pensó. Exteriormente había más orden, pero el resultado iba a ser el mismo.

Como un eco que respondiese negativamente a su tristeza, oyó la voz de un soldado hablando con un cam- 10 pesino:

— Nos retiramos, pero es para saltar con más fuerza sobre los *boches*. El abuelo Joffre se los meterá en el bolsillo a la hora y en el sitio que escoja.

Se reanimó Desnoyers al oir el nombre del general. 15 Tal vez este soldado, que mantenía intacta su fe a través de las marchas interminables y desmoralizantes, presentía la verdad mejor que los oficiales razonadores y estudiosos.

El resto del día lo pasó haciendo regalos a los últimos 20 grupos de la columna. Su bodega se iba vaciando. Por orden de fechas continuaban esparciéndose los miles de botellas almacenadas en los subterráneos del castillo. Al cerrar la noche fueron botellas cubiertas por el polvo de muchos años lo que entregó a los hombres que le 25 parecían débiles. Así como la columna desfilaba iba ofreciendo un aspecto más triste de cansancio y desgaste. Pasaban los rezagados, arrastrando con desaliento los pies en carne viva dentro de sus zapatos. Algunos se habían librado de este encierro torturante y 30 marchaban descalzos, con los pesados borceguíes pendientes de un hombro, dejando en el suelo manchas de sangre. Pero todos, abrumados por una fatiga mortal, conservaban sus armas y sus equipos, pensando en el enemigo que estaba cerca.

La liberalidad de Desnoyers produjo estupefacción en muchos de ellos. Estaban acostumbrados a atravesar el suelo patrio teniendo que luchar con el egoísmo del cultivador. Nadie ofrecía nada. El miedo al peligro hacía que los habitantes de los campos escondiesen sus víveres, negándose a facilitar el menor socorro a los compatriotas que se batían por ellos.

El millonario durmió mal esta segunda noche en su cama aparatosa de columnas y penachos que había pertenecido a Enrique IV, según declaración de los vendedores. Ya no era continuo el tránsito de tropas. De tarde en tarde pasaba un batallón suelto, una batería, un grupo de jinetes, las últimas fuerzas de la retaguardia que habían tomado posición en las cercanías del pueblo para cubrir el movimiento de retroceso. El profundo silencio que seguía a estos desfiles ruidosos despertó en su ánimo una sensación de duda e inquietud. ¿Qué hacía allí cuando la muchedumbre en armas se retiraba? ¿No era una locura quedarse? ... Pero inmediatamente galopaban por su memoria todas las riquezas conservadas en el castillo. ¡Si él pudiese llevárselas! ... Era imposible, por falta de medios y de tiempo. Además, su tenacidad consideraba esta huída como algo vergonzoso. «Hay que terminar lo que se empieza», repitió mentalmente. Él había hecho el viaje para guardar lo suyo y no debía huir al iniciarse el peligro ...

Cuando en la mañana siguiente bajó al pueblo apenas vió soldados. Sólo un escuadrón de dragones estaba en las afueras para cubrir los últimos restos de la retirada. Los jinetes corrían en pelotones por los bosques, empujando a los rezagados y haciendo frente a las avanzadas enemigas. Desnoyers fué hasta la salida de la población. Los dragones habían obstruído la calle 5 con una barricada de carros y muebles. Pie a tierra y carabina en mano, vigilaban detrás de este obstáculo la faja blanca del camino que se elevaba solitario entre dos colinas cubiertas de árboles. De tarde en tarde sonaban disparos sueltos, como chasquidos de tralla. 10 «Los nuestros», decían los dragones. Eran los últimos destacamentos que tiroteaban a las avanzadas de hulanos. La caballería tenía la misión de mantener a retaguardia el contacto con el enemigo, de oponerle una continua resistencia, repeliendo a los destacamen- 15 tos alemanes que intentaban filtrarse a lo largo de las columnas.

Vió cómo iban llegando por la carretera los últimos rezagados de infantería. No marchaban; más bien parecían arrastrarse, con una firme voluntad de avanzar, 20 pero traicionados en sus deseos por las piernas anquilosadas, por los pies en sangre. Se habían sentado un momento al borde del camino, agonizantes de cansancio, para respirar sin el peso de la mochila, para sacar sus pies del encierro de los zapatos, para limpiarse el sudor, 25 y al querer reanudar la marcha les era imposible levantarse. Su cuerpo parecía de piedra. La fatiga los sumía en un estado semejante a la catalepsia. Veían pasar como un desfile fantástico todo el resto del ejército: batallones y más batallones, baterías, tropeles de 30 caballos. Luego el silencio, la noche, un sueño sobre el polvo y las piedras sacudido por terribles pesadillas.

Al amanecer eran despertados por los pelotones de jinetes que exploraban el terreno recogiendo los residuos de la retirada. ¡Ay! ¡imposible moverse! Los dragones, revólver en mano, tenían que apelar a la amenaza para 5 reanimarlos. Sólo la certeza de que el enemigo estaba cerca y podía hacerles prisioneros les infundía un vigor momentáneo. Y se levantaban tambaleantes, arrastrando las piernas, apoyándose en el fusil como si fuese un bastón.

10 Muchos de estos hombres eran jóvenes que habían envejecido en una hora y caminaban como valetudinarios. ¡Infelices! No irían muy lejos. Su voluntad era seguir, incorporarse a la columna; pero al entrar en el pueblo examinaban las casas con ojos suplicantes, de-15 seando entrar en ellas, sintiendo un ansia de descanso inmediato que les hacía olvidar la proximidad del enemigo.

Villeblanche estaba más solitario que antes de la llegada de las tropas. En la noche anterior una parte de sus habitantes había huído, contagiada por el pavor 20 de la muchedumbre que seguía la retirada del ejército. El alcalde y el cura se quedaban. Reconciliado con el dueño del castillo por su inesperada presencia y admirado de sus liberalidades, el funcionario municipal se acercó a él para darle una noticia. Los ingenieros esta-25 ban minando el puente sobre el Marne. Sólo esperaban para hacerlo saltar a que se retirasen los dragones. Si quería marcharse, aún era tiempo.

Otra vez dudó Desnoyers. Era una locura permanecer allí. Pero una ojeada a la arboleda, sobre cuyo 30 ramaje asomaban los torreones del castillo, finalizó sus dudas. No, no... «Hay que terminar lo que se empieza.»

Se presentaban los últimos grupos de dragones saliendo a la carretera por diversos puntos del bosque. Llevaban sus caballos al paso, como si les doliese este retroceso. Volvían la vista atrás, con la carabina en una mano, prontos a hacer alto y disparar. Los otros, 5 que ocupaban la barricada, estaban ya sobre sus monturas. Se rehizo el escuadrón, sonaron las voces de los oficiales, y un trote vivo con acompañamiento de choques metálicos se fué alejando a espaldas de don Marcelo.

Quedó éste junto a la barricada, en una soledad de 10 intenso silencio, como si el mundo se hubiese despoblado repentinamente. Dos perros abandonados por la fuga de sus amos rondaban y oliscaban en torno de él, implorando su protección. No podían encontrar el rastro deseado en aquella tierra pisoteada y desfigurada por el 15 tránsito de miles de hombres. Un gato famélico espiaba a los pájaros que empezaban a invadir este lugar. Con tímidos revuelos picoteaban los residuos alimenticios dejados por los caballos de los dragones. Una gallina sin dueño apareció igualmente para disputar su 20 festín a la granujería alada, oculta hasta entonces en árboles y aleros. El silencio hacía renacer el murmullo de la hojarasca, el zumbido de los insectos, la respiración veraniega del suelo ardiente de sol, todos los ruidos de la naturaleza, que parecía haberse contraído temerosa- 25 mente bajo el peso de los hombres en armas.

No se daba cuenta exacta Desnoyers del paso del tiempo. Creyó todo lo anterior un mal ensueño. La calma que le rodeaba hizo inverosímil cuanto había presenciado. 30

De pronto vió moverse algo en el último término del camino, en lo más alto de la cuesta, allí donde la cinta blanca tocaba el azul del horizonte. Eran dos hombres a caballo, dos soldaditos de plomo que parecían escapados de una caja de juguetes. Había traído con él unos gemelos, que le servían para sorprender las incursiones en sus propiedades, y miró. Los dos jinetes, vestidos de gris verdoso, llevaban lanzas, y su casco estaba rematado por un plato horizontal . . . ¡ Ellos ! No podía dudar: tenía ante su vista los primeros hulanos.

Permanecieron inmóviles algún tiempo, como si explorasen el horizonte. Luego, de las masas obscuras de vegetación que abullonaban los lados del camino fueron saliendo otros y otros, hasta formar un grupo. Los soldaditos de plomo ya no marcaban su silueta sobre el azul del horizonte. La blancura de la carretera les servía ahora de fondo, subiendo por encima de sus cabezas. Avanzaban con lentitud, como una tropa que teme emboscadas y examina lo que la rodea.

La conveniencia de retirarse cuanto antes hizo que don Marcelo dejase de mirar. Era peligroso que le sorprendiesen en aquel sitio. Pero al bajar sus gemelos algo extraordinario pasó por el campo de visión de las lentes. A corta distancia, como si fuese a tocarlos con la mano, vió muchos hombres que marchaban al amparo de los árboles por los dos lados de la carretera. Su sorpresa aún fué mayor al convencerse de que eran franceses, pues todos llevaban kepis. ¿ De dónde salían ? . . . Los volvió a examinar sin el auxilio de los gemelos, cerca ya de la barricada. Eran rezagados, en estado lamentable, que ofrecían una pintoresca variedad de uniformes: soldados de línea, zuavos, dragones sin caballo. Y revueltos con ellos, guardias forestales y gendarmes pertenecientes a pueblos que habían recibido con retraso la noticia de la retirada. En conjunto, unos cincuenta. Los había enteros y vigorosos; otros se sostenían con un esfuerzo sobrehumano. Todos conservaban sus armas.

Llegaron hasta la barricada, mirando continuamente atrás para vigilar, al amparo de los árboles, el lento avance de los hulanos. Al frente de esta tropa heterogénea iba un oficial de gendarmería, viejo y obeso, con el revólver en la diestra, el bigote erizado por la emoción y un brillo homicida en los ojos azules velados por la pesadez de sus párpados. Se deslizaron al otro lado de la barrera de carros sin fijarse en este paisano curioso. Iban a continuar su avance a través del pueblo, cuando sonó una detonación enorme, conmoviendo el horizonte delante de ellos, haciendo temblar las casas.

—¿Qué es eso? —preguntó el oficial mirando por primera vez a Desnoyers.

Éste dió una explicación: era el puente, que acababa de ser destruído. Un juramento del jefe acogió la noticia. Pero su tropa confusa, agrupada al azar del encuentro, permaneció indiferente, como si hubiese perdido todo contacto con la realidad.

—Lo mismo es morir aquí que en otra parte —continuó el oficial.

Muchos de los fugitivos agradecieron con una pronta obediencia esta decisión, que los libertaba del suplicio de caminar. Casi se alegraron de la voladura que les cortaba el paso. Fueron colocándose instintivamente en los lugares más cubiertos de la barricada. Otros se introdujeron en unas casas abandonadas, cuyas puertas habían violentado los dragones para utilizar el piso superior. Todos parecían satisfechos de poder descansar aunque fuese combatiendo. El oficial iba de un grupo a otro comunicando sus órdenes. No debían hacer fuego hasta que él diese la voz.

Don Marcelo presenció tales preparativos con la inmovilidad de la sorpresa. Había sido tan rápida e 5 inaudita la aparición de los rezagados, que aún se imaginaba estar soñando. No podía haber peligro en esta situación irreal: todo era mentira. Y continuó en su sitio sin entender al teniente, que le ordenaba la fuga con rudas palabras. ¡ Paisano testarudo ! . . .

10 El eco de la explosión había poblado la carretera de jinetes. Salían de todas partes, uniéndose al primitivo grupo. Los hulanos galopaban con la certeza de que el pueblo estaba abandonado.

— ¡ Fuego ! . . .

15 Desnoyers quedó envuelto en una nube de crujidos, como si se tronchase la madera de todos los árboles que tenía ante sus ojos.

El escuadrón impetuoso se detuvo de golpe. Varios hombres rodaron por el suelo. Unos se levantaban para 20 saltar fuera del camino, encorvándose, con el propósito de hacerse menos visibles. Otros permanecían tendidos, de espaldas o de bruces, con los brazos por delante. Los caballos sin jinete emprendieron un galope loco a través de los campos, con las riendas a la rastra, espoleados 25 por los estribos sueltos.

Y después del rudo vaivén que le hicieron sufrir la sorpresa y la muerte, se dispersó, desapareciendo casi instantáneamente, absorbido por la arboleda.

III. LA INVASIÓN

Huía don Marcelo para refugiarse en su castillo, cuando encontró al alcalde de Villeblanche. El estrépito de la descarga le había hecho correr hacia la barricada. Al enterarse de la aparición del grupo de rezagados elevó los brazos desesperadamente. Estaban locos. Su resistencia iba a ser fatal para el pueblo. Y siguió corriendo para rogarles que desistiesen de ella.

Transcurrió mucho tiempo sin que se turbase la calma de la mañana. Desnoyers había subido a lo más alto de uno de sus torreones y con los anteojos exploraba el campo. No alcanzaba a distinguir la carretera; sólo veía los grupos de árboles inmediatos. Adivinó con la imaginación debajo de este ramaje una oculta actividad: masas de hombres que hacían alto, tropas que se preparaban para el ataque. La inesperada defensa de los fugitivos había perturbado la marcha de la invasión. Desnoyers pensó en este puñado de locos y su testarudo jefe: ¿qué suerte iba a ser la suya?...

Al fijar sus gemelos en las cercanías del pueblo vió las manchas rojas de los kepis deslizándose como amapolas sobre el verde de unas praderas. Eran ellos que se retiraban, convencidos de la inutilidad de su resistencia. Tal vez les habían indicado un vado o una barca olvidada para salvar el Marne, y continuaban su retroceso hacia el río. De un momento a otro los alemanes iban a entrar en Villeblanche.

Transcurrió media hora de profundo silencio. El pueblo perfilaba sobre un fondo de colinas su masa de tejados y la torre de la iglesia rematada por la cruz y

un gallo de hierro. Todo parecía tranquilo, como en los mejores días de la paz. De pronto vió que el bosque vomitaba a lo lejos algo ruidoso y sutil, una burbuja de vapor, acompañada de sordo estallido. Algo también
5 pasó por el aire con estridente curva. A continuación un tejado del pueblo se abrió como un cráter, volando de él maderos, fragmentos de pared, muebles rotos. Todo el interior de la casa se escapaba en un chorro de humo, polvo y astillas.

10 Los invasores bombardeaban a Villeblanche antes de intentar el ataque, como si temiesen encontrar en sus calles una empeñada resistencia. Cayeron nuevos proyectiles. Algunos, pasando por encima de las casas, venían a estallar entre el pueblo y el castillo. Los
15 torreones de la propiedad de Desnoyers empezaban a atraer la puntería de los artilleros. Pensaba éste en la oportunidad de abandonar su peligroso observatorio, cuando vió que algo blanco, semejante a un mantel o una sábana, flotaba en la torre de la iglesia. Los vecinos
20 habían izado esta señal de paz para evitarse el bombardeo. Todavía cayeron unos cuantos proyectiles: luego se hizo el silencio.

Don Marcelo estaba ahora en su parque, viendo cómo el conserje enterraba al pie de un árbol las armas de
25 caza que existían en el castillo. Luego se dirigió hacia la verja. Los enemigos iban a llegar y había que recibirles. En esta espera inquietante el arrepentimiento volvió a atormentarle. ¿Qué hacía allí? ¿Por qué se había quedado?... Pero su carácter tenaz desechó in-
30 mediatamente las dudas del miedo. Estaba allí porque tenía el deber de guardar lo suyo. Además, ya era tarde para pensar en tales cosas.

Le pareció de pronto que el silencio matinal se cortaba con un sordo rasgón de tela dura.

— Tiros, señor — dijo el conserje —. Una descarga. Debe ser en la plaza.

Minutos después vieron llegar a una mujer del pueblo, una vieja de miembros enjutos y negruzcos, que jadeaba con la violencia de la carrera, lanzando en torno miradas de locura. Huía sin saber adónde ir, por la necesidad de escapar al peligro, de librarse de horribles visiones. Desnoyers y los porteros escucharon su explicación, entrecortada por hipos de terror.

Los alemanes estaban en Villeblanche. Primeramente había entrado un automóvil a toda velocidad, pasando de un extremo a otro del pueblo. Su ametralladora disparaba a capricho contra las casas cerradas y las puertas abiertas, tumbando a las gentes que se habían asomado. La vieja abrió los brazos con un gesto de terror . . . Muertos . . . muchos muertos . . . heridos . . . sangre. A continuación otros vehículos blindados se habían detenido en la plaza, y tras de ellos grupos de jinetes, batallones a pie, numerosos batallones, que llegaban por todas partes. Los hombres con casco parecían furiosos: acusaban a los habitantes de haber hecho fuego contra ellos. En la plaza habían golpeado al alcalde y a varios vecinos que salían a su encuentro. El cura, inclinado sobre unos agonizantes, también había sido atropellado . . . Todos presos. Los alemanes habían de fusilarlos.

Las palabras de la vieja fueron cortadas por el ruido de algunos automóviles que se aproximaban.

— Abre la verja — ordenó el dueño al conserje.

La verja quedó abierta y ya no volvió a cerrarse nunca. Terminaba el derecho de propiedad.

Se detuvo ante la entrada un automóvil enorme, cubierto de polvo y lleno de hombres. Detrás sonaron las bocinas de otros vehículos, que se avisaban al detenerse con seco tirón de frenos. Desnoyers vió soldados 5 apeándose de un salto, todos vestidos de gris verdoso, con una funda del mismo tono cubriendo el casco puntiagudo. Uno de ellos, que marchaba delante, le puso su revólver en la frente.

— ¿ Dónde están los francotiradores ? — preguntó.

10 Estaba pálido, con una palidez de cólera, de venganza y de miedo. Le temblaban las mejillas a impulsos de la triple emoción. Don Marcelo se explicó lentamente, contemplando a corta distancia de sus ojos el negro redondel del tubo amenazador. No había visto franco-15 tiradores. El castillo tenía por únicos habitantes el conserje con su familia y él, que era el dueño.

Miró el oficial al edificio y luego examinó a Desnoyers con visible extrañeza, como si lo encontrase de aspecto demasiado humilde para ser su propietario. Le había 20 creído un simple empleado, y su respeto a las jerarquías sociales hizo que bajase el revólver.

No por esto desistió de sus gestos imperiosos. Empujó a don Marcelo para que le sirviese de guía; lo hizo marchar delante de él, mientras a sus espaldas se agru-25 paban unos cuarenta soldados. Avanzaron en dos filas, al amparo de los árboles que bordeaban la avenida central, con el fusil pronto para disparar, mirando inquietamente a las ventanas del castillo, como si esperasen recibir desde ellas una descarga cerrada. Desnoyers 30 marchó tranquilamente por el centro, y el oficial, que había imitado la precaución de su gente, acabó por unirse a él cuando atravesaba el puente levadizo.

Los hombres armados se esparcieron por las habitaciones en busca de enemigos. Metían las bayonetas debajo de camas y divanes. Otros, con un automatismo destructor, atravesaron los cortinajes y las ricas cubiertas de los lechos. El dueño protestó: ¿para qué este destrozo inútil?... Experimentaba una tortura insufrible al ver las botas enormes manchando de barro las alfombras, al oir el choque de culatas y mochilas contra los muebles frágiles, de los que caían objetos. ¡Pobre mansión histórica!...

El oficial le miró con extrañeza, asombrado de que protestase por tan fútiles motivos. Pero dió una orden en alemán, y sus hombres cesaron en las rudas exploraciones. Luego, como una justificación de este respeto extraordinario, añadió en francés:

— Creo que tendrá usted el honor de alojar al general de nuestro cuerpo de ejército.

La certeza de que en el castillo no se ocultaban enemigos le hizo más amable. Sin embargo, persistió en su cólera contra los francotiradores. Un grupo de vecinos había hecho fuego sobre los hulanos cuando avanzaban descuidados después de la retirada de los franceses.

Desnoyers creyó necesaria una protesta. No eran vecinos ni francotiradores: eran soldados franceses. Tuvo buen cuidado de callar su presencia en la barricada, pero afirmó que había distinguido los uniformes desde un torreón de su castillo.

El oficial hizo un gesto de agresividad.

— ¿Usted también?... ¿Usted, que parece un hombre razonable, repite tales patrañas?

Y para cortar la discusión dijo con arrogancia:

— Llevaban uniforme, si usted se empeña en afirmarlo, pero eran francotiradores. El gobierno francés ha repartido armas y uniformes a los campesinos para que nos asesinen. Lo mismo hizo el de Bélgica... Pero 5 conocemos sus astucias y sabremos castigarlas.

El pueblo iba a ser incendiado. Había que vengar los cuatro cadáveres alemanes que estaban tendidos en las afueras de Villeblanche, cerca de la barricada. El alcalde, el cura, los principales vecinos, todos fusilados.

10 Visitaban en aquel momento el último piso. Desnoyers vió flotar por encima del ramaje de su parque una bruma obscura cuyos contornos enrojecía el sol. El extremo del campanario era lo único del pueblo que se distinguía desde allí. En torno del gallo de hierro vol-15 teaban harapos sutiles, semejantes a telarañas negras elevadas por el viento. Un olor de madera vieja quemada llegó hasta el castillo.

Saludó el alemán este espectáculo con una sonrisa cruel. Luego, al descender al parque, ordenó a Desno-20 yers que le siguiese. Su libertad y su dignidad habían terminado. En adelante iba a ser una cosa bajo el dominio de estos hombres, que podrían disponer de él a su capricho. ¡Ay, por qué se había quedado!... Obedeció, montando en un automóvil al lado del oficial, 25 que aún conservaba el revólver en la diestra. Sus hombres se esparcían por el castillo y sus dependencias para evitar la fuga de un enemigo imaginario. El conserje y su familia parecieron decirle ¡adiós! con los ojos. Tal vez le llevaban a la muerte...

30 Más allá de las arboledas del castillo fué surgiendo un mundo nuevo. El corto trayecto hasta Villeblanche representó para él un salto de millones de leguas, la

caída en un planeta rojo, donde hombres y cosas tenían la pátina del humo y el resplandor del incendio. Vió el pueblo bajo un dosel obscuro moteado de chispas y brillantes pavesas. El campanario ardía como un blandón enorme; la techumbre de la iglesia estallaba, dejando escapar chorros de llamas. Un hedor de quema se esparcía en el ambiente. El fulgor del incendio parecía contraerse y empalidecer ante la luz impasible del sol.

Corrían a través de los campos, con la velocidad de la desesperación, mujeres y niños dando alaridos. Las bestias habían escapado de los establos, empujadas por las llamas, para emprender una carrera loca. La vaca y el caballejo de labor llevaban pendiente del pescuezo la cuerda rota por el tirón del miedo. Sus flancos echaban humo y olían a pelo quemado. Los cerdos, las ovejas, las gallinas, corrían igualmente, confundidos con gatos y perros. Toda la animalidad doméstica retornaba a la existencia salvaje, huyendo del hombre civilizado. Sonaban tiros y carcajadas brutales. Los soldados en las afueras del pueblo insistían regocijados en esta cacería de fugitivos. Sus fusiles apuntaban a las bestias y herían a las personas.

Desnoyers vió hombres, muchos hombres, hombres por todas partes. Eran a modo de hormigueros grises que desfilaban y desfilaban hacia el Sur, saliendo de los bosques, llenando los caminos, atravesando los campos. El verde de la vegetación se diluía bajo sus pasos; las cercas caían rotas; el polvo se alzaba en espirales detrás del sordo rodar de los cañones y el acompasado trote de millares de caballos. A los lados del camino habían hecho alto varios batallones con su acompañamiento de vehículos y bestias de tiro. Descansaban para reanudar su marcha. Conocía a este ejército. Lo había visto en las paradas de Berlín, y también le pareció cambiado, como el del día anterior. Quedaba en él muy poco de la brillantez sombría e imponente, de la 5 tiesura muda y jactanciosa, que hacían llorar de admiración a sus cuñados. La guerra, con sus realidades, había borrado todo lo que tenía de teatral el formidable organismo de muerte. Los soldados se mostraban sucios y cansados. Una respiración de carne blanca, atocinada 10 y sudorosa, revuelta con el hedor del cuero, flotaba sobre los regimientos. Todos los hombres tenían cara de hambre. Llevaban días y días caminando incesantemente sobre las huellas de un enemigo que siempre conseguía librarse. En este avance forzado los víveres 15 de la intendencia llegaban tarde a los acantonamientos. Sólo podían contar con lo que guardaban en sus mochilas. Desnoyers los vió alineados junto al camino devorando pedazos de pan negro y embutidos mohosos. Algunos se esparcían por los campos para desenterrar las remolachas 20 y otros tubérculos, mascando su dura pulpa entre crujidos de granos de tierra. Un alférez sacudía los árboles frutales, empleando como percha la bandera de su regimiento. La gloriosa enseña, adornada con recuerdos de 1870, le servía para alcanzar ciruelas todavía 25 verdes. Los que estaban sentados en el suelo aprovechaban este descanso extrayendo sus pies hinchados y sudorosos de las altas botas, que esparcían un vapor insufrible.

Los regimientos de infantería que Desnoyers había 30 visto en Berlín reflejando la luz en metales y correajes, los húsares lujosos y terroríficos, los coraceros de albo uniforme semejantes a los paladines del Santo Graal, los artilleros con el pecho regleteado de fajas blancas, todos los militares que en los desfiles arrancaban suspiros de admiración a los Hartrott, aparecían ahora unificados y confundidos por la monotonía del color, todos de verde mostaza, como lagartos empolvados que en su arrastre buscan confundirse con el suelo.

Se adivinaba la persistencia de la férrea disciplina. Una palabra dura de los jefes, un golpe de silbato, y todos se agrupaban, desapareciendo el hombre en el espesor de la masa de autómatas. Pero el peligro, el cansancio, la certidumbre del triunfo, habían aproximado a soldados y oficiales momentáneamente, borrando las diferencias de casta. Los jefes salían un poco del aislamiento en que los mantenía su altivez y se dignaban conversar con sus hombres para infundirles ánimo. Un esfuerzo más y envolverían a franceses e ingleses, repitiendo la hazaña de Sedán, cuyo aniversario se celebraba en aquellos días. Iban a entrar en París: era asunto de una semana. ¡ París ! Grandes tiendas llenas de riquezas, restaurants célebres, mujeres, champañ, dinero . . . Y los hombres, orgullosos de que sus conductores se dignasen hablar con ellos, olvidaban la fatiga y el hambre, reanimándose como las muchedumbres de la Cruzada ante la imagen de Jerusalén. « *¡ Nach Paris !* » El alegre grito circulaba de la cabeza a la cola de las columnas en marcha. « ¡ A París ! ¡ A París ! . . . »

La escasez de comida la compensaban con los productos de una tierra rica en vinos. Al saquear las casas rara vez encontraban víveres, pero siempre una bodega. El alemán humilde, abrevado con cerveza y que consideraba el vino como un privilegio de los ricos, podía desfondar los toneles a culatazos, bañándose los pies en oleadas del precioso líquido. Cada batallón dejaba como rastro de su paso una estela de botellas vacías. Un alto en un campo lo sembraba de cilindros de vidrio. Los furgones de los regimientos, no pudiendo renovar sus repuestos de víveres, cargaban vino en todos los pueblos. El soldado, falto de pan, recibía alcohol... Y este regalo iba acompañado de buenos consejos de los oficiales. La guerra es la guerra: nada de piedad con unos adversarios que no la merecían. Los franceses fusilaban a los prisioneros y sus mujeres sacaban los ojos a los heridos. Cada vivienda equivalía a un antro de asechanzas. El alemán sencillo e inocente que penetraba solo, iba a una muerte segura. Las camas se hundían en pavorosos subterráneos, los armarios eran puertas disimuladas, todo rincón tenía oculto a un asesino. Había que castigar a esta nación traidora que preparaba su suelo como un escenario de melodrama. Los funcionarios municipales, los curas, los maestros de escuela, dirigían y amparaban a los francotiradores.

Desnoyers se aterró al considerar la indiferencia con que marchaban estos hombres en torno del pueblo incendiado. No veían el fuego y la destrucción: todo carecía de valor ante sus ojos; era el espectáculo ordinario. Desde que atravesaron las fronteras de su país, pueblos en ruinas, incendiados por las vanguardias, y pueblos en llamas nacientes, provocadas por su propio paso, habían ido marcando las etapas de su avance por el suelo belga y el francés.

Al entrar el automóvil en Villeblanche tuvo que moderar su marcha. Muros calcinados se habían desplomado sobre la calle, vigas medio carbonizadas obstruían el paso, obligando al vehículo a virar entre los escombros humeantes. Los solares ardían como braseros entre casas que aún se mantenían en pie, saqueadas, con las puertas rotas, pero libres del incendio. Desnoyers vió en estos rectángulos llenos de tizones, sillas, camas, máquinas de coser, cocinas de hierro, todos 5 los muebles del bienestar campesino, que se consumían o retorcían. Creyó distinguir igualmente un brazo emergiendo de los escombros y que empezaba a arder como un cirio. No; no era posible... Un hedor de grasa caliente se unía a la respiración de hollín de ma- 10 deras y cascotes.

Cerró los ojos: no quería ver. Pensó por un momento que estaba soñando. Era inverosímil que tales horrores hubiesen podido desarrollarse en poco más de una hora. Creyó a la maldad humana impotente para cambiar en 15 tan corto espacio el aspecto de un pueblo.

Una brusca detención del carruaje le hizo mirar. Esta vez los cadáveres estaban en medio de la calle: eran dos hombres y una mujer. Tal vez habían caído bajo las balas de la ametralladora automóvil que atra- 20 vesó el pueblo precediendo a la invasión. Un poco más allá, vueltos de espaldas a los muertos, como si ignorasen su presencia, varios soldados comían sentados en el suelo. El chófer les gritó para que desembarazasen el paso. Con los fusiles y los pies empujaron los cadáveres, 25 todavía calientes, que dejaban a cada volteo un rastro de sangre. Apenas quedó abierto algo de espacio entre ellos y el muro, pasó adelante el vehículo... Un crujido; un salto. Las ruedas de atrás habían aplastado un obstáculo frágil. 30

Desnoyers continuaba en su asiento, encogido, estupefacto, cerrando los ojos. El horror le hizo pensar en su propio destino. ¿Adónde le llevaba aquel teniente?...

En la plaza vió la casa municipal que ardía; la iglesia no era más que un cascarón de piedra erizado de 5 lenguas de fuego. Las casas de los vecinos acomodados tenían las puertas y ventanas rotas a hachazos. En su interior se agitaban los soldados, siguiendo un metódico vaivén. Entraban con las manos vacías y surgían cargados de muebles y ropas. Otros, desde los pisos supe- 10 riores, arrojaban objetos, acompañando sus envíos con bromas y carcajadas. De pronto tenían que salir huyendo. El incendio estallaba instantáneamente con la violencia y la rapidez de una explosión. Seguía los pasos de un grupo de hombres que llevaban cajones y cilin- 15 dros de metal. Alguien que iba al frente designaba los edificios, y al penetrar por sus ventanas rotas pastillas y chorros de líquido se producía la catástrofe de un modo fulminante.

Vió surgir de un edificio en llamas dos hombres que 20 parecían dos montones de harapos, llevados a rastras por varios alemanes. Sobre la mancha azul de sus capotes distinguió unas caras pálidas, unos ojos desmesuradamente abiertos por el martirio. Sus piernas arrastraban por el suelo, asomando entre las tiras de los pantalones 25 rojos destrozados. Uno de ellos aún conservaba el kepis. Expelían sangre por diversas partes de sus cuerpos: iban dejando atrás el blanco serpenteo de los vendajes deshechos. Eran heridos franceses; rezagados que se habían quedado en el pueblo sin fuerzas para continuar la reti- 30 rada. Tal vez pertenecían al grupo que, al verse cortado, intentó una resistencia loca.

Deseando restablecer la verdad, miró al oficial que

tenía al lado y quiso hablar. Pero éste le contuvo: «Francotiradores disfrazados que van a recibir su castigo.» Las bayonetas alemanas se hundieron en sus cuerpos. Después una culata cayó sobre la cabeza de uno de ellos... Y los golpes se repitieron con sordo martilleo sobre las cápsulas óseas, que crujían al romperse. 5

Otra vez pensó el viejo en su propia suerte. ¿Adónde le llevaba este teniente a través de tantas visiones de horror?...

Llegaron a las afueras del pueblo, donde los dragones habían establecido su barricada. Las carretas estaban aún allí, pero a un lado del camino. Bajaron del automóvil. Vió un grupo de oficiales vestidos de gris, con el casco enfundado, iguales en todo a los otros. El que le había conducido hasta este sitio quedó inmóvil, rígido, con una mano en la visera, hablando a un militar que estaba unos cuantos pasos al frente del grupo. Miró a este hombre y él también le miró con unos ojillos azules y duros que perforaban su rostro enjuto surcado de arrugas. Debía ser el general. La mirada arrogante y escudriñadora le abarcó de pies a cabeza. Don Marcelo tuvo el presentimiento de que su vida dependía de este examen. Una mala idea que cruzase por su cerebro, un capricho cruel de su imaginación, y estaba perdido. Movió los hombros el general y dijo unas palabras con gesto desdeñoso. Luego montó en un automóvil con dos de sus ayudantes, y el grupo se deshizo. 10 15 20 25

La cruel incertidumbre del viejo encontró interminables los momentos que tardó el oficial en volver a su lado.

—Su Excelencia es muy bueno —dijo—. Podía fusilarle, pero le perdona. ¡Y aún dicen ustedes que somos unos salvajes!... 30

Con la inconsciencia de su menosprecio, explicó que lo había traído hasta allí convencido de que le fusilarían. El general deseaba castigar a los vecinos principales de Villeblanche, y él había considerado por su propia iniciativa que el dueño del castillo debía ser uno de ellos.

— El deber militar, señor . . . Así lo exige la guerra.

Después de esta excusa reanudó los elogios a Su Excelencia. Iba a alojarse en la propiedad de don Marcelo, y por esto le perdonaba la vida. Debía darle las gracias . . . Luego volvieron a temblar de cólera sus mejillas. Señalaba unos cuerpos tendidos junto al camino. Eran los cadáveres de los cuatro hulanos, cubiertos con unos capotes y mostrando por debajo de ellos las suelas enormes de sus botas.

— ¡ Un asesinato ! — exclamó —. ¡ Un crimen que van a pagar caro los culpables !

Su indignación le hacía considerar como un hecho inaudito y monstruoso la muerte de los cuatro soldados, como si en la guerra sólo debieran caer los enemigos, manteniéndose incólume la vida de sus compatriotas.

Llegó un grupo de infantería mandado por un oficial. Al abrirse sus filas vió Desnoyers entre los uniformes grises varios paisanos empujados rudamente. Iban con las ropas desgarradas. Algunos tenían sangre en el rostro y en las manos. Los fué reconociendo uno por uno mientras los alineaban junto a una tapia, a veinte pasos del piquete: el alcalde, el cura, el guardia forestal, algunos vecinos ricos cuyas casas había visto arder. Iban a fusilarlos . . . Para evitarle toda duda, el teniente continuó sus explicaciones.

— He querido que vea usted esto. Conviene aprender. Así agradecerá mejor las bondades de Su Excelencia.

Ninguno de los prisioneros hablaba. Habían agotado sus voces en una protesta inútil. Toda su vida la concentraban en sus ojos, mirando en torno con estupefacción . . . ¡ Y era posible que los matasen fríamente, sin oír sus protestas, sin admitir las pruebas de su inocencia ! 5

La certidumbre de la muerte dió de pronto a casi todos ellos una noble serenidad. Inútil quejarse. Sólo un campesino rico, famoso en el pueblo por su avaricia, lloriqueaba desesperado, repitiendo: «Yo no quiero morir . . . yo no quiero morir. » 10

Trémulo y con los ojos cargados de lágrimas, Desnoyers se ocultó detrás de su implacable acompañante. A todos los conocía, con todos había batallado, arrepintiéndose ahora de sus antiguas querellas. El alcalde tenía en la frente la mancha roja de una gran desolladura. Sobre su pecho se agitaba un harapo tricolor: la banda municipal que se había puesto para recibir a los invasores y que éstos le habían arrancado. El cura erguía su cuerpo pequeño y redondo, queriendo abarcar en una mirada de resignación las víctimas, los verdugos, la tierra entera, el cielo. Parecía más grueso. El negro ceñidor, roto por las violencias de los soldados, dejaba libre su abdomen y flotante su sotana. Las melenas plateadas chorreaban sangre, salpicando de gotas rojas el blanco alzacuello. 15 20 25

Al verle avanzar por el campo de la ejecución con paso vacilante a causa de su obesidad, una risotada salvaje cortó el trágico silencio. Los grupos de soldados sin armas que habían acudido a presenciar el suplicio saludaron con carcajadas al anciano. «¡ A muerte el cura ! . . . » El fanatismo de las guerras religiosas vibraba en su burla. Casi todos ellos eran católicos o protestan- 30 tes fervorosos; pero sólo creían en los sacerdotes de su país. Fuera de Alemania todo resultaba despreciable, hasta la propia religión.

El alcalde y el sacerdote cambiaron de lugar en la
5 fila, buscándose. Se ofrecían mutuamente el centro del grupo con una cortesía solemne.

— Aquí, señor alcalde; éste es su sitio: a la cabeza de todos.

— No; después de usted, señor cura.

10 Discutían por última vez, pero en este momento supremo era para cederse el paso, queriendo cada uno humillarse ante el otro.

Habían unido sus manos por instinto, mirando de frente al piquete de ejecución, que bajaba sus fusiles en
15 rígida fila horizontal. A sus espaldas sonaron lamentos. « Adiós, hijos míos . . . Adiós, vida . . . Yo no quiero morir . . . ¡ no quiero morir ! . . . »

Los dos hombres sintieron la necesidad de decir algo, de cerrar la página de su existencia con una afirmación.

20 — ¡ Viva la República ! — gritó el alcalde.

— ¡ Viva Francia ! — dijo el cura.

Desnoyers creyó que ambos habían gritado lo mismo.

Se alzaron dos verticales sobre las cabezas: el brazo del sacerdote trazó en el aire un signo, el sable del jefe
25 del piquete relampagueó al mismo tiempo lívidamente . . . Un trueno seco, rotundo, seguido de varias explosiones tardías.

Sintió lástima don Marcelo por la pobre humanidad al ver las formas grotescas que adopta en el momento de
30 morir. Unos se desplomaron como sacos medio vacíos; otros rebotaron en el suelo lo mismo que pelotas; algunos dieron un salto de gimnasta, con los brazos en alto,

cayendo de espaldas o de bruces, en una actitud de nadador. Vió cómo salían del montón humano piernas contorsionadas por los estremecimientos de la agonía . . . Unos soldados avanzaron con el mismo gesto de los cazadores que van a cobrar sus piezas. De la palpitación de los miembros revueltos se elevaron unas melenas blancas y una mano débil que se esforzaba por repetir su signo. Varios tiros y culatazos en el lívido montón chorreante de sangre . . . Y los últimos temblores de vida quedaron borrados para siempre.

El oficial había encendido un cigarro.

— Cuando usted guste — dijo a Desnoyers con irónica cortesía.

Montaron en el automóvil para atravesar Villeblanche, regresando al castillo. Los incendios cada vez más numerosos y los cadáveres tendidos en las calles ya no impresionaron al viejo. ¡ Había visto tanto! ¿ Qué podía alterar ya su sensibilidad ? . . . Deseaba salir del pueblo cuanto antes en busca de la paz de los campos. Pero los campos habían desaparecido bajo la invasión: por todas partes soldados, caballos, cañones. Los grupos en descanso destruían con su contacto lo que les rodeaba. Los batallones en marcha habían invadido todos los caminos, rumorosos y automáticos como una máquina, precedidos por los pífanos y los tambores, lanzando de vez en cuando, para animarse, su grito de alegría: « *¡ Nach Paris !* »

El castillo también estaba desfigurado por la invasión. Había aumentado mucho el número de sus guardianes durante la ausencia del dueño. Vió todo un regimiento de infantería acampado en el parque. Miles de hombres se agitaban bajo los árboles preparando su comida en las cocinas rodantes. Los arriates de su jardín, las plantas exóticas, las avenidas cuidadosamente enarenadas y barridas, todo roto y ajado por la avalancha de hombres, bestias y vehículos.

5 Un jefe ostentando en una manga el brazal distintivo de la administración militar daba órdenes como si fuese el propietario. Ni se dignó fijar sus ojos en este civil que marchaba al lado de un teniente con encogimiento de prisionero. Los establos estaban vacíos. Desnoyers 10 vió sus últimas vacas que salían conducidas a palos por los pastores con casco. Los reproductores costosos eran degollados todos en el parque como simples bestias de carnicería. En los gallineros y palomares no quedaba una sola ave. Las cuadras estaban llenas de caballos 15 enjutos que se daban un hartazgo ante el pesebre repleto. El pasto almacenado se esparcía pródigamente por las avenidas, perdiéndose en gran parte antes de ser aprovechado. La caballada de varios escuadrones iba suelta por los prados, destruyendo bajo su pateo los ca- 20 nales, los bordes de los taludes, el alisamiento del suelo, todo un trabajo de largos meses. La leña seca ardía en el parque con un llameo inútil. Por descuido o por maldad, alguien había aplicado el fuego a sus montones. Los árboles, con la corteza reseca por los ardores del 25 verano, crujían al ser lamidos por las llamas.

El edificio estaba ocupado igualmente por una multitud de hombres que obedecían a este jefe. Sus ventanas abiertas dejaban ver un continuo tránsito por las habitaciones. Desnoyers oyó golpes que resonaron den- 30 tro de su pecho. ¡ Ay, su mansión histórica ! . . . El general iba a instalarse en ella, luego de haber examinado en la orilla del Marne los trabajos de los pontoneros, que establecían varios pasos para las tropas. Su miedo de propietario le hizo hablar. Temía que rompiesen las puertas de las habitaciones cerradas: quiso ir en busca de las llaves para entregarlas. El comisario no le escuchó; seguía ignorando su existencia. El teniente repuso con una amabilidad cortante:

— No es necesario; no se moleste.

Y se fué para incorporarse a su regimiento. Pero antes de que Desnoyers le perdiese de vista quiso el oficial darle un consejo. Quieto en su castillo: fuera de él podían tomarle por un espía, y ya estaba enterado de la prontitud con que solucionaban sus asuntos los soldados del emperador.

No pudo permanecer en el jardín contemplando de lejos su vivienda. Los alemanes que iban y venían se burlaban de él. Algunos marchaban a su encuentro en línea recta, como si no le viesen, y tenía que apartarse para no ser volteado por este avance mecánico y rígido.

Al fin se refugió en el pabellón del conserje. La mujer le veía con asombro, caído en un asiento de su cocina, desalentado, la mirada en el suelo, súbitamente envejecido al perder las energías que animaban su robusta ancianidad.

— ¡ Ah, señor ! . . . ¡ Pobre señor !

De todos los atentados de la invasión, el más inaudito para la pobre mujer era contemplar al dueño refugiado en su vivienda.

— ¡ Qué va a ser de nosotros ! — gemía.

Su marido era llamado con frecuencia por los invasores. Los asistentes de Su Excelencia, instalados en los sótanos del castillo, lo reclamaban para inquirir el paradero de las cosas que no podían encontrar. De estos

viajes volvía humillado, con los ojos llenos de lágrimas. Tenía en la frente la huella negra de un golpe; su chaqueta estaba desgarrada. Eran rastros de un débil intento de oposición durante la ausencia del dueño al
5 iniciar los alemanes el despojo de establos y salones.

El millonario se sintió ligado por el infortunio a unas gentes consideradas hasta entonces con indiferencia. Agradecía mucho la fidelidad de este hombre enfermo y humilde. Le conmovió el interés de la pobre mujer, que
10 miraba el castillo como si fuese propio. La presencia de la hija trajo a su memoria la imagen de Chichí. Había pasado junto a ella sin fijarse en su transformación, viéndola lo mismo que cuando acompañaba, con trote de gozquecillo, a la señorita Desnoyers en sus excursiones
15 por el parque y los alrededores. Ahora era una mujer, con la delgadez del último crecimiento, apuntando las primeras gracias femeniles en su cuerpo de catorce años. La madre no la dejaba salir del pabellón, temiendo a la soldadesca, que lo invadía todo con su corriente desbor-
20 dada, filtrándose en los lugares abiertos, rompiendo los obstáculos que estorbaban su paso.

Desnoyers abandonó su desesperado mutismo para confesar que sentía hambre. Le avergonzaba esta exigencia material, pero las emociones del día, la muerte
25 vista de cerca, el peligro todavía amenazante, despertaron en él un apetito nervioso. La consideración de que era un miserable en medio de sus riquezas y no podía disponer de nada en su dominio aumentó todavía más su necesidad.

30 — ¡ Pobre señor ! — dijo otra vez la mujer.

Y contempló con asombro al millonario devorando un pedazo de pan y un triángulo de queso, lo único que pudo encontrar en su vivienda. La certeza de que no conseguiría otro alimento por más que buscase, hizo que don Marcelo siguiese atormentado por su apetito. ¡ Haber conquistado una fortuna enorme, para sufrir hambre al final de su existencia ! . . . La mujer, como si adivinase sus pensamientos, gemía, elevando los ojos. Desde las primeras horas de la mañana el mundo había cambiado su curso: todas las cosas parecían al revés. ¡ Ay, la guerra ! . . .

En el resto de la tarde y una parte de la noche fué recibiendo el propietario las noticias que le traía el conserje después de sus visitas al castillo. El general y numerosos oficiales ocupaban las habitaciones. No quedaba cerrada una sola puerta: todas estaban de par en par, a culatazos y hachazos. Habían desaparecido muchas cosas: el portero no sabía cómo, pero habían desaparecido, tal vez rotas, tal vez arrebatadas por los que entraban y salían. El jefe del brazal iba de habitación en habitación examinándolo todo, dictando en alemán a un soldado que escribía. Mientras tanto, el general y los suyos estaban en el comedor. Bebían abundantemente y consultaban mapas extendidos en el suelo. El pobre hombre había tenido que bajar a las cuevas en busca de los mejores vinos.

Al anochecer se marcó un movimiento de flujo en aquella marea humana que cubría los campos hasta perderse de vista. Habían quedado establecidos varios puentes sobre el Marne y la invasión reanudó su avance. Los regimientos se ponían en marcha lanzando su grito de entusiasmo: « *¡ Nach Paris !* » Los que se quedaban para continuar al día siguiente iban instalándose en las casas arruinadas o al aire libre. Desnoyers oyó cánticos. Bajo el fulgor de las primeras estrellas los soldados se agrupaban como orfeonistas, formando con sus voces un coral solemne y dulce, de religiosa gravedad. Encima de los árboles flotaba una nube roja que la sombra hacía más intensa. Era el reflejo del pueblo, que aún llameaba. A lo lejos otras hogueras de granjas y caseríos cortaban la noche con sus parpadeos sangrientos.

El viejo acabó por dormirse en la cama de sus conserjes, con el sueño pesado y embrutecedor del cansancio, sin sobresaltos ni pesadillas. Caía y caía en un agujero lóbrego y sin término. Al despertar se imaginó que sólo había dormido unos minutos. El sol coloreaba de naranja las cortinillas de la ventana. A través de su tejido vió unas ramas de árbol y pájaros que saltaban, piando entre las hojas. Sintió la misma alegría de los frescos amaneceres del verano. Hermosa mañana. ¿ Pero qué habitación era aquélla ? . . . Miró con extrañeza el lecho y cuanto le rodeaba. De pronto la realidad asaltó su cerebro, paralizado dulcemente por los primeros esplendores del día. Fué surgiendo de esta bruma mental la larga escalera de su memoria, con un último peldaño, negro y rojo: el bloque de emociones, que representaba el día anterior. ¡ Y él había dormido tranquilamente rodeado de enemigos, sometido a una fuerza arbitraria que podía destruírle en uno de sus caprichos ! . . .

Al entrar en la cocina, su conserje le dió noticias. Los alemanes se iban. El regimiento acampado en el parque había salido al amanecer, y tras de él otros y otros. En el pueblo quedaba un batallón, ocupando las pocas casas enteras y las ruinas de las incendiadas. El general había partido también con su numeroso Estado Mayor. Sólo quedaba en el castillo el jefe de una brigada, al que llamaban sus asistentes el «conde», y varios oficiales.

Después de estas noticias se atrevió a salir del pabellón. Vió su jardín destrozado, pero hermoso. Los 5
árboles guardaban impasibles los ultrajes sufridos en sus troncos. Los pájaros aleteaban con sorpresa y regocijo al verse dueños otra vez del espacio abandonado por la inundación humana.

Pronto se arrepintió Desnoyers de su salida. Cinco 10
camiones estaban formados junto a los fosos, ante el puente del castillo. Varios grupos de soldados salían llevando a hombros muebles enormes, como peones que efectúan una mudanza. Un objeto voluminoso envuelto en cortinas de seda, que suplían a la lona de embalaje, 15
era empujado por cuatro hombres hasta uno de los automóviles. El propietario adivinó. ¡ Su baño: la famosa tina de oro!... Luego, con un brusco cambio de opinión, no sintió dolor por esta pérdida. Odiaba ahora la ostentosa pieza, atribuyéndole una influencia fatal. Por 20
su culpa se veía él allí. Pero ¡ ay!... ¡ los otros muebles amontonados en los camiones!... En este momento pudo abarcar toda la extensión de su miseria y su impotencia. Le era imposible defender su propiedad; no podía discutir con aquel jefe que saqueaba el castillo 25
tranquilamente ignorando la presencia del dueño. «¡ Ladrones! ¡ ladrones!» Y volvió a meterse en el pabellón.

Pasó toda la mañana con el codo en una mesa y la mandíbula apoyada en la mano, lo mismo que el día anterior, dejando que las horas se desgranasen lentamente, no queriendo oír el sordo rodar de los vehículos 30
que se llevaban las muestras de su opulencia.

Cerca de mediodía le anunció el conserje que un oficial, llegado una hora antes en automóvil, deseaba verle.

Al salir del pabellón encontró a un capitán, igual a los otros, con el casco puntiagudo y enfundado, el uni-
5 forme color de mostaza, botas de cuero rojo, sable, revólver, gemelos y la carta geográfica en un estuche pendiente del cinturón. Parecía joven: ostentaba en una manga el brazal del Estado Mayor.

— ¿ Me conoce ? . . . No he querido pasar por aquí sin
10 verle.

Dijo esto en castellano, y Desnoyers experimentó una sorpresa más grande que todas las que había sentido en sus largas horas de angustia, a partir de la mañana anterior.

— ¿ De veras que no me conoce ? — prosiguió el
15 alemán, siempre en español —. Soy Otto . . . el capitán Otto von Hartrott.

El viejo descendió, o más bien rodó por la escalera de su memoria, para detenerse en un peldaño lejano. Vió la estancia, vió a sus cuñados que tenían el segundo
20 hijo. « Le pondré el nombre de Bismarck », decía Karl. Luego, remontando muchos escalones, se veía en Berlín durante su visita a los Hartrott. Hablaban con orgullo de Otto, casi tan sabio como el hermano mayor, pero que aplicaba su talento a la guerra. Era teniente y con-
25 tinuaba sus estudios para ingresar en el Estado Mayor. « ¿ Quién sabe si llegará a ser otro Moltke ? », decía el padre. Y la bulliciosa Chichí lo bautizó con un apodo, aceptado por la familia. Otto fué en adelante *Moltkecito* para sus parientes de París.

30 Desnoyers se admiró de las transformaciones realizadas por los años. Aquel capitán vigoroso y de aire insolente, que podía fusilarle, era el mismo pequeñín

que había visto corretear en la estancia, el *Moltkecito* imberbe, del que reía su hija . . .

Mientras tanto, el militar explicaba su presencia allí. Pertenecía a otra división. Eran muchas . . . ¡ muchas ! las que avanzaban formando un muro extenso y profundo desde Verdún a París. Su general le había enviado para mantener el contacto con la división inmediata, pero al verse en las cercanías del castillo había querido visitarlo. La familia no es una simple palabra. Él se acordaba de los días que había pasado en Villeblanche, cuando la familia Hartrott fué a vivir por algún tiempo con sus parientes de Francia. Los oficiales que ocupaban el edificio le habían retenido para que almorzase en su compañía. Uno de ellos mencionó casualmente al dueño de la propiedad, dando a entender que andaba cerca, aunque nadie se fijaba en su persona. Una gran sorpresa para el capitán von Hartrott. Y había hecho averiguaciones hasta dar con él, doliéndose de verle refugiado en la habitación de sus porteros.

— Debe usted salir de ahí; usted es mi tío — dijo con orgullo —. Vuelva a su casa, donde le corresponde estar. Mis camaradas tendrán mucho gusto en conocerle; son hombres muy distinguidos.

Se lamentó luego de lo que el viejo hubiese podido sufrir. No sabía con certeza en qué consistían tales sufrimientos, pero adivinaba que los primeros instantes de la invasión habrían sido crueles para él.

— ¡ Qué quiere usted ! — repitió varias veces —. Es la guerra.

Al mismo tiempo celebraba que hubiese permanecido en su propiedad. Tenían la orden de castigar con predilección los bienes de los fugitivos. Alemania deseaba que los habitantes permaneciesen en sus viviendas, como si no ocurriese nada extraordinario. Desnoyers protestó . . . ¡ Pero si los invasores fusilaban a los inocentes y quemaban sus casas ! . . . El sobrino se opuso a que siguiese hablando. Palideció, como si detrás de su epidermis se esparciese una ola de ceniza; le brillaron los ojos; le temblaron las mejillas, lo mismo que al teniente que se había posesionado del castillo.

— Se refiere usted al fusilamiento del alcalde y los otros . . . Me lo acaban de contar los camaradas. Aún ha sido flojo el castigo; debían haber arrasado el pueblo entero; debían haber matado hasta a los niños y las mujeres. Hay que acabar con los francotiradores.

El viejo le miró con asombro. Su *Moltkecito* era tan peligroso y feroz como los otros . . . Pero el capitán cortó la conversación repitiendo una vez más la eterna y monstruosa excusa:

— Muy horrible, pero ¡ qué quiere usted ! . . . Así es la guerra.

Luego pidió noticias de su madre, alegrándose al saber que estaba en el Sur. Le había inquietado mucho la idea de que permaneciese en París. ¡ Con las revoluciones que habían ocurrido allá en los últimos tiempos ! . . . Desnoyers quedó dudando, como si hubiese oído mal. ¿ Qué revoluciones eran esas ? . . . Pero el oficial había pasado sin más explicación a hablar de los suyos, creyendo que Desnoyers sentiría impaciencia por conocer la suerte de la parentela germánica.

Todos estaban en una situación magnífica. Su ilustre padre era presidente de varias sociedades patrióticas (ya que sus años no le permitían ir a la guerra) y organizaba además futuras empresas industriales para explotar los países conquistados. Su hermano « el sabio » daba conferencias acerca de los pueblos que debía anexionarse el imperio victorioso, tronando contra los malos patriotas que se mostraban débiles y mezquinos en sus pretensiones. Los tres hermanos restantes figuraban en el ejército: a uno de ellos lo habían condecorado en Lorena. Las dos hermanas, algo tristes por la ausencia de sus prometidos, tenientes de húsares, se entretenían en visitar los hospitales y pedir a Dios que castigase a la traidora Inglaterra.

El capitán von Hartrott llevó lentamente a su tío hacia el castillo. Los soldados grises y rígidos, que habían ignorado hasta entonces la existencia de don Marcelo, le seguían con interés viéndole en amistosa conversación con un oficial del Estado Mayor. Adivinó que estos hombres iban a humanizarse para él, perdiendo su automatismo inexorable y agresivo.

Al entrar en el edificio algo se contrajo en su pecho con estremecimientos de angustia. Vió por todas partes dolorosos vacíos que le hicieron recordar los objetos que ocupaban antes el mismo espacio. Manchas rectangulares de color más fuerte delataban en el empapelado el emplazamiento de los muebles y cuadros desaparecidos. ¡ Con qué prontitud y buen método trabajaba aquel señor del brazal en la manga ! . . . A la tristeza que le produjo el despojo frío y ordenado vino a unirse su indignación de hombre económico, viendo cortinas con desgarrones, alfombras manchadas, objetos rotos de porcelana y cristal, todos los vestigios de una ocupación ruda y sin escrúpulos.

El sobrino, adivinando lo que pensaba, repitió la eterna excusa: « ¡ Qué hacer ! . . . Es la guerra. »

Pero con *Moltkecito* no tenía por qué guardar los miramientos del miedo.

— Esto no es guerra — dijo con acento rencoroso —. Es una expedición de bandidos... Tus camaradas son 5 unos ladrones.

El capitán von Hartrott creció de pronto con violento estirón. Se separó del viejo, mirándole fijamente, mientras hablaba en voz baja, algo silbante por el temblor de la cólera. ¡ Atención, tío ! Afortunadamente se había 10 expresado en español y no podían entenderle los que estaban cerca de ellos. Si se permitía insistir en tales apreciaciones corría el peligro de recibir una bala como respuesta. Los oficiales del emperador no se dejan insultar. Y todo en su persona demostraba la facilidad con 15 que podía olvidarse de su parentesco si recibía la orden de proceder contra don Marcelo.

Calló éste, bajando la cabeza. ¡ Qué iba a hacer !... El capitán reanudó sus amabilidades, como si hubiese olvidado lo que acababa de decir. Quería presentarle a 20 sus camaradas. Su Excelencia el conde Meinbourg, Mayor General, al enterarse de que era pariente de los Hartrott le dispensaba el honor de convidarle a su mesa.

Invitado en su propia vivienda, entró en el comedor, donde estaban muchos hombres vestidos de color 25 mostaza y con botas altas. Instintivamente apreció con rápida ojeada el estado de la habitación. Todo en buen estado, nada roto: paredes, cortinajes y muebles seguían intactos. Pero al mirar el interior de los aparadores monumentales experimentó otra vez una sensación do-30 lorosa. Por todas partes la obscuridad del roble. Habían desaparecido dos vajillas de plata y otra de porcelana antigua, sin dejar como rastro la más insignificante de sus piezas. Tuvo que responder con graves saludos a las presentaciones que iba haciendo su sobrino, y estrechó la mano que le tendía el conde con aristocrática dejadez. Los enemigos le consideraban con benevolencia y cierta admiración al saber que era un millonario procedente de la tierra lejana donde los hombres se enriquecen rápidamente.

Se vió de pronto sentado como un extraño ante su propia mesa, comiendo en los mismos platos que empleaba su familia, servido por unos hombres de cabeza esquilada al rape que llevaban sobre el uniforme un mandil a rayas. Lo que comía era suyo, el vino procedía de su bodega, todo lo que adornaba aquella habitación lo había comprado él, los árboles que extendían su ramaje más allá de la ventana le pertenecían igualmente . . . Y sin embargo, creyó hallarse en este sitio por primera vez, sufriendo el malestar de la extrañeza y la desconfianza. Comió porque sentía hambre, pero alimentos y vinos le parecían de otro planeta.

Iba examinando con asombro a estos enemigos, que ocupaban los mismos lugares de su esposa, de sus hijos, de los Lacour . . . Hablaban en alemán entre ellos, pero los que conocían el francés se valían con frecuencia de este idioma para que les entendiese el invitado. Los que sólo chapurreaban unas palabras las repetían con acompañamiento de sonrisas amables. Se notaba en todos ellos un deseo de agradar al dueño del castillo.

— Va usted a almorzar con los bárbaros — dijo el conde al ofrecerle un asiento a su lado —. ¿ No tiene usted miedo de que le coman vivo ? . . .

Los alemanes rieron con gran estrépito la gracia de Su Excelencia. Todos hacían esfuerzos por demostrar con sus palabras y ademanes que era falsa la barbarie que les atribuían los enemigos.

Don Marcelo los miró uno a uno. Las fatigas de la guerra, y especialmente la marcha acelerada de los
5 últimos días, estaban visibles en sus personas. Unos eran altos, delgados, con una esbeltez angulosa; otros, cuadrados y fornidos, con el cuello corto y la cabeza hundida entre los hombros. Estos últimos habían perdido sus adiposidades en un mes de campaña, colgán-
10 doles la piel arrugada y flácida en varias partes del rostro. Todos llevaban la cabeza rapada, lo mismo que los soldados. En torno de la mesa brillaban dos filas de esferas craneales sonrosadas o morenas. Las orejas sobresalían grotescamente; las mandíbulas se marcaban
15 con el óseo relieve del enflaquecimiento. Algunos habían conservado el mostacho enhiesto, a la moda del emperador; los más iban afeitados o con bigotes cortos en forma de cepillo.

Un brazalete de oro brillaba a continuación de una
20 mano del conde puesta sobre la mesa. Era el más viejo de todos y el único que conservaba sus cabellos, de un rubio obscuro y canoso, peinados cuidadosamente y brillantes de pomada. Próximo a los cincuenta años, mantenía un vigor juvenil, cultivado por los ejercicios vio-
25 lentos. Enjuto, huesudo y fuerte, procuraba disimular su rudeza de hombre de pelea con una negligencia suave y perezosa. Los oficiales le trataban con gran respeto. Hartrott había hablado de él a su tío como de un gran artista, músico y poeta. El emperador era su amigo: se
30 conocían desde la juventud. Antes de la guerra ciertos escándalos de su vida privada le habían alejado de la corte: vociferaciones de folicularios y de socialistas.

Pero el soberano le mantenía en secreto su afecto de antiguo condiscípulo. Todos recordaban un baile suyo, *Los caprichos de Sherazada*, representado con gran lujo en Berlín por recomendación del poderoso compañero. Había vivido algunos años en Oriente. En suma, un gran señor y un artista de exquisita sensibilidad al mismo tiempo que un soldado.

El conde no podía admitir el silencio de Desnoyers. Era su comensal, y creyó del caso hacerle hablar para que interviniese en la conversación. Cuando don Marcelo explicó que sólo hacía tres días que había salido de París, todos se animaron, queriendo saber noticias.

« ¿ Vió usted algunas de las sublevaciones ? . . . » « ¿ Tuvo la tropa que matar mucha gente ? » « ¿ Cómo fué el asesinato de Poincaré ? »

Le hicieron estas preguntas a la vez, y don Marcelo, desorientado por su inverosimilitud, no supo qué contestar. Creyó haber caído en una reunión de locos. Luego sospechó que se burlaban de él. ¿ Sublevaciones ? ¿ Asesinato del presidente ? . . . Unos le miraban con lástima por su ignorancia; otros con recelo, al ver que fingía no conocer unos sucesos que se habían desarrollado junto a él. Su sobrino insistió.

— Los diarios de Alemania hablan mucho de eso. El pueblo de París se ha sublevado hace quince días contra el gobierno, asaltando el Elíseo y asesinando al presidente. El ejército tuvo que emplear las ametralladoras para imponer el orden . . . Todo el mundo lo sabe.

Pero Desnoyers insistía en no saberlo: nada había visto. Y como sus palabras eran acogidas con un gesto de maliciosa duda, prefirió callarse. Su Excelencia, espíritu superior, incapaz de incurrir en las credulidades del vulgo, intervino para restablecer los hechos. Lo del asesinato tal vez no era cierto: los periódicos alemanes podían exagerar con la mejor buena fe. Precisamente pocas horas antes le había hecho saber el Estado Mayor 5 General la retirada del gobierno francés a Burdeos. Pero lo de la sublevación del pueblo de París y su pelea con la tropa era indiscutible. « El señor lo ha visto sin duda, pero no quiere decirlo. » Desnoyers tuvo que contradecir al personaje, pero su negativa ya no fué escu- 10 chada. ¡ París ! Este nombre había hecho brillar los ojos, excitando la verbosidad de todos. Deseaban llegar cuanto antes a la vista de la torre Eiffel, entrar victoriosos en la ciudad, para resarcirse de las privaciones y fatigas de un mes de campaña. Eran adoradores de la gloria 15 militar, consideraban la guerra necesaria para la vida, y sin embargo se lamentaban de los sufrimientos que les proporcionaba. El conde exhaló una queja de artista.

— ¡ Lo que me ha perjudicado la guerra! — dijo con 20 languidez —. Este invierno iban a estrenar en París un baile mío.

Todos protestaron de su tristeza: su obra sería impuesta después del triunfo, y los franceses tendrían que aplaudirla.

25 — No es lo mismo — continuó el conde —. Confieso que amo a París . . . ¡ Lástima que esas gentes no hayan querido nunca entenderse con nosotros ! . . .

Y se sumió en su melancolía de hombre no comprendido.

30 A uno de los oficiales que hablaba de las riquezas de París con ojos de codicia, lo reconoció de pronto Desnoyers por el brazal que ostentaba en una manga. Era

el que había saqueado el castillo. Como si adivinase sus pensamientos, el comisario se excusó.

— Es la guerra, señor...

¡Lo mismo que los otros!... La guerra había que pagarla con los bienes de los vencidos. Era el nuevo sistema alemán; la vuelta saludable a la guerra de los tiempos remotos: tributos impuestos a las ciudades y saqueo aislado de las casas. De este modo se vencían las resistencias del enemigo y la guerra terminaba antes. No debía entristecerse por el despojo. Sus muebles y alhajas serían vendidos en Alemania. Podía hacer una reclamación al gobierno francés para que le indemnizase después de la derrota: sus parientes de Berlín apoyarían la demanda.

Desnoyers oyó con espanto tales consejos. ¡Qué mentalidad la de aquellos hombres! ¿Estaban locos o querían reírse de él?...

Al terminar el almuerzo algunos oficiales se levantaron, requiriendo sus sables para cumplir actos del servicio. El capitán von Hartrott también se levantó: necesitaba volver al lado de su general: había dedicado bastante tiempo a las expansiones de familia. El tío le acompañó hasta el automóvil. *Moltkecito* se excusaba una vez más de los desperfectos y despojos sufridos por el castillo.

— Es la guerra... Debemos ser duros para que resulte breve. La verdadera bondad consiste en ser crueles, porque así el enemigo, aterrorizado, se entrega más pronto y el mundo sufre menos.

Don Marcelo levantó los hombros ante el sofisma. Estaban en la puerta del edificio. El capitán dió órdenes a un soldado, y éste volvió poco después con un pedazo de tiza que servía para marcar las señales de alojamiento. Von Hartrott deseaba proteger a su tío. Y empezó a trazar una inscripción en la pared, junto a la puerta. « *Bitte, nicht plündern. Es sind freundliche Leute* . . . »

Luego la tradujo, en vista de las repetidas preguntas del viejo.

— Quiere decir: « Se ruega no saquear. Los habitantes de esta casa son gente amable . . . gente amiga. »

¡ Ah, no ! . . . Desnoyers repelió con vehemencia esta protección. Él no quería ser amable. Callaba porque no podía hacer otra cosa . . . ¡ pero amigo de los invasores de su país ! . . .

El sobrino borró parte del letrero y sólo dejó el principio: « *Bitte, nicht plündern.* » « Se ruega no saquear. » Luego en la entrada del parque repitió la inscripción. Consideraba necesario este aviso; podía irse Su Excelencia, podían instalarse en el castillo otros oficiales. Von Hartrott había visto mucho, y su sonrisa daba a entender que nada llegaría a sorprenderle, por enorme que fuese. Pero el viejo siguió despreciando su protección y riéndose con tristeza del rótulo. ¿ Qué más podían saquear ? . . . Ya se habían llevado lo mejor.

— Adiós, tío. Pronto nos veremos en París.

Y el capitán montó en su automóvil, luego de estrechar una mano fría y blanda que parecía repelerle con su inercia.

Al volver hacia su casa vió a la sombra de un grupo de árboles una mesa y sillas. Su Excelencia tomaba el café al aire libre, y le obligó a sentarse a su lado. Sólo tres oficiales le acompañaban . . . Gran consumo de licores, procedentes de su bodega. Hablaban en alemán entre ellos, y así permaneció don Marcelo cerca de una hora, inmóvil, deseando marcharse y no encontrando el momento oportuno para abandonar su asiento y desaparecer.

Se adivinaba fuera del parque un gran movimiento de tropas. Pasaba otro cuerpo de ejército con sordo rodar de marea. Las cortinas de árboles ocultaban este desfile incesante que se dirigía hacia el Sur. Un fenómeno inexplicable conmovió la luminosa calma de la tarde. Sonaba a lo lejos un trueno continuo, como si rodase por el horizonte azul una tormenta invisible.

El conde interrumpió su conversación en alemán para hablar a Desnoyers, que parecía interesado por el estrépito.

— Es el cañón. Se ha entablado una batalla. Pronto entraremos en danza.

La posibilidad de tener que abandonar su alojamiento, el más cómodo que había encontrado en toda su campaña, le puso de mal humor.

— ¡ La guerra ! — continuó —. Una vida gloriosa, pero sucia y embrutecedora. En todo un mes hoy es el primer día que vivo como un hombre.

Y como si le atrajesen las comodidades que habría de abandonar en breve, se levantó, dirigiéndose al castillo. Dos alemanes se marcharon hacia el pueblo y Desnoyers quedó con el otro, ocupado en paladear admirativamente sus licores. Era el jefe del batallón acantonado en Villeblanche.

— ¡ Triste guerra, señor ! — dijo en francés.

De todo el grupo de enemigos, éste era el único que había inspirado a don Marcelo un sentimiento vago de atracción. « Aunque es un alemán, parece buena persona », pensaba viéndole. Debía haber sido obeso en tiempo de paz, pero ahora ofrecía el exterior suelto y lacio de un organismo que acaba de sufrir una pérdida de volumen. Se adivinaba en él una existencia anterior de tranquila y vulgar sensualidad, una dicha burguesa que la guerra había cortado rudamente.

— ¡ Qué vida, señor! — siguió diciendo —. Que Dios castigue a los que han provocado esta catástrofe.

Desnoyers casi estaba conmovido. Vió la Alemania que se había imaginado muchas veces: una Alemania tranquila, dulce, de burgueses un poco torpes y pesados, pero que compensaban su rudeza originaria con un sentimentalismo inocente y poético. Este Blumhardt, al que sus compañeros llamaban *Bataillonskommandeur*, era un buen padre de familia. Se lo representó paseando con su mujer y sus hijos bajo los tilos de una plaza de provincia, escuchando todos con religiosa unción las melodías de una banda militar. Luego lo vió en la cervecería con sus amigos, hablando de problemas metafísicos entre dos conversaciones de negocios. Era el hombre de la vieja Alemania, un personaje de novela de Goethe. Tal vez las glorias del imperio habían modificado su existencia, y en vez de ir a la cervecería frecuentaba el casino de los oficiales, mientras su familia se mantenía aparte, aislada de los civiles por el orgullo de la casta militar; pero en el fondo era siempre el alemán bueno, de costumbres patriarcales, pronto a derramar lágrimas ante una escena de familia o un fragmento de buena música.

El comandante Blumhardt se acordaba de los suyos, que vivían en Cassel.

— Ocho hijos, señor — dijo con un esfuerzo visible

para contener su emoción —. Los dos mayores se preparan para ser oficiales. El menor va a la escuela desde este año... Es así.

Y señalaba con una mano la altura de sus botas. Temblaba nerviosamente de risa y de pena al recordar a su pequeño. Luego hizo el elogio de su esposa, excelente directora de hogar, madre que se sacrificaba con modestia por sus hijos, por su esposo. ¡Ay, la dulce Augusta!... Veinte años de matrimonio iban transcurridos, y la adoraba como el día en que se vieron por primera vez. Guardaba en un bolsillo de su uniforme todas las cartas que ella le había escrito desde el principio de la campaña.

— Véala, señor... Éstos son mis hijos.

Sacó del pecho un medallón de plata con adornos de arte de Munich, y tocando un resorte lo hizo abrirse en redondeles, como las hojas de un libro, dejando ver los rostros de toda la familia: la *Frau Kommandeur*, de una belleza austera y rígida, imitando el gesto y el peinado de la emperatriz; luego las hijas, las *Fräulein Kommandeur*, vestidas de blanco, los ojos en alto como si cantasen una romanza; y al final los niños, con uniformes de escuelas del ejército o de instituciones particulares. ¡Y pensar que podía perder a estos seres queridos con sólo que un pedazo de hierro le tocase!... ¡Y había de vivir lejos de ellos ahora que era la buena estación, la época de los paseos en el campo!...

— ¡Triste guerra! — volvió a repetir —. ¡Que Dios castigue a los ingleses!

Con una solicitud que conmovió a don Marcelo, le hizo preguntas a su vez acerca de su familia. Se apiadó al enterarse de lo escasa que era su prole: sonrió un poco ante el entusiasmo con que el viejo hablaba de su hija, saludando a *Fräulein* Chichí como un diablillo gracioso; puso el gesto compungido al saber que el hijo le había dado grandes disgustos con su conducta.

5 ¡ Simpático comandante ! . . . Era el primer hombre dulce y humano que encontraba en el infierno de la invasión. « En todas partes hay buenas personas », se dijo. Deseó que no se moviese del castillo. Si habían de continuar allí los alemanes, mejor era tenerle a él
10 que a otros.

Un ordenanza vino a llamar a don Marcelo de parte de Su Excelencia. Encontró al conde en su propio dormitorio, luego de pasar por los salones con los ojos cerrados para evitarse el dolor de una cólera inútil.
15 Las puertas estaban forzadas, los suelos sin alfombras, los huecos sin cortinajes. Sólo los muebles rotos en los primeros momentos ocupaban sus antiguos lugares. Los dormitorios habían sido saqueados con más método, desapareciendo únicamente lo que no era de utilidad
20 inmediata. El haberse alojado en ellos el día antes el general con todo su séquito les había librado de una destrucción caprichosa.

El conde le recibió con la cortesía de un gran señor que desea atender a sus invitados. No podía consentir
25 que *Herr* Desnoyers, pariente de un von Hartrott — al que recordaba vagamente haber visto en la corte —, viviese en la habitación de los porteros. Debía ocupar su dormitorio, aquella cama solemne como un catafalco, con penachos y columnas, que había tenido el honor de
30 servir horas antes a un ilustre general del imperio.

— Yo prefiero dormir aquí. Esta otra habitación va mejor con mis gustos.

Había entrado en el dormitorio de la señora Desnoyers, admirando su mueblaje Luis XV, de una autenticidad preciosa, con los oros apagados y los paisajes de sus tapicerías obscurecidos por el tiempo. Era una de las mejores compras de don Marcelo. El conde sonrió con un menosprecio de artista al recordar al jefe de la intendencia encargado del saqueo oficial.

— ¡ Qué asno ! . . . Pensar que esto lo ha dejado por viejo y feo . . .

Luego miró de frente al dueño del castillo.

— Señor Desnoyers: creo no cometer ninguna incorrección, y hasta me imagino que interpreto sus deseos, al manifestarle que estos muebles me los llevo yo. Serán un recuerdo de nuestro conocimiento, un testimonio de nuestra amistad que ahora empieza . . . Si esto queda aquí corre peligro de ser destruído. Los guerreros no están obligados a ser artistas. Yo guardaré estas preciosidades en Alemania, y usted podrá verlas cuando quiera. Ahora todos vamos a ser unos . . . Mi amigo el emperador se proclamará soberano de los franceses.

Desnoyers permaneció silencioso. ¿ Qué podía contestar al gesto de ironía cruel, a la mirada con que el gran señor iba subrayando sus palabras ? . . .

— Cuando termine la guerra le enviaré un regalo de Berlín — añadió con tono protector.

Tampoco contestó el viejo. Miraba en las paredes el vacío que habían dejado varios cuadros pequeños. Eran de maestros famosos del siglo XVIII. También debía haberlos despreciado el comisario por insignificantes. Una ligera sonrisa del conde le reveló su verdadero paradero.

Había escudriñado toda la pieza, el dormitorio inmediato que era el de Chichí, el cuarto de baño, hasta el guardarropa femenino de la familia, que conservaba unos vestidos de la señorita Desnoyers. Las manos del guerrero se perdieron con delectación en los finos bullones de las telas, apreciando su blanda frescura.

Este contacto le hizo pensar en París, en las modas, en las casas de los grandes modistos. La *rue de la Paix* era el lugar más admirado por él en sus visitas a la ciudad enemiga.

Don Marcelo percibió la fuerte mezcla de perfumes que exhalaban su cabeza, sus bigotes, todo su cuerpo. Varios frascos del tocador de las señoras estaban sobre la chimenea.

— ¡ Qué suciedad la guerra ! — dijo el alemán —. Esta mañana he podido tomar un baño después de una semana de abstinencia: a media tarde tomaré otro ... A propósito, querido señor: estos perfumes son buenos, pero no son elegantes. Cuando tenga el gusto de ser presentado a las señoras les daré las señas de mis proveedores ... Yo uso en mi casa esencias de Turquía: tengo muchos amigos allá ... Al terminar la guerra haré un envío a la familia.

Sus ojos se habían fijado en algunos retratos colocados sobre una mesa. El conde adivinó a *Madame* Desnoyers, viendo la fotografía de doña Luisa. Luego sonrió ante el retrato de Chichí. Muy graciosa: lo que más admiraba en ella era su aire resuelto de muchacho. Posó una mirada amplia y profunda en la fotografía de Julio.

— Excelente mozo, — dijo —. Una cabeza interesante ... artística. En un baile de trajes obtendría un éxito. ¡ Qué príncipe persa ! ... Una *aigrette* blanca en la cabeza sujeta con un joyel, el pecho desnudo, una túnica negra con pavos de oro...

Y siguió vistiendo imaginariamente al primogénito de Desnoyers con todos los esplendores de un monarca oriental. El viejo sintió un principio de simpatía hacia aquel hombre por el interés que le inspiraba su hijo. ¡Lástima que escogiese con tanta habilidad las cosas preciosas y se las apropiase!...

Junto a la cabecera de la cama, sobre un libro de oraciones olvidado por su esposa, vió un medallón con otra fotografía. Ésta no era de la casa. El conde, que había seguido la dirección de sus ojos, quiso mostrársela. Temblaron las manos del guerrero... Su altivez desdeñosa e irónica desapareció de golpe. Un oficial de Húsares de la Muerte sonreía en el retrato, contrayendo su perfil enjuto y curvo de pájaro de pelea bajo el gorro adornado con un cráneo y dos fémurs.

—Mi mejor amigo—dijo con voz algo temblorosa—. El ser que más amo en el mundo... ¡Y pensar que tal vez se bate en estos momentos y pueden matarlo!... ¡Pensar que yo también puedo morir!...

Don Marcelo creyó entrever una novela del pasado del conde. Aquel húsar era indudablemente un hijo natural. Su simplicidad no podía concebir otra cosa. Sólo en su ternura era un padre capaz de hablar así... Y casi se sintió contagiado por esta ternura.

Aquí dió fin la entrevista. El guerrero le había vuelto la espalda, saliendo del dormitorio, como si desease ocultar sus emociones. A los pocos minutos sonó en el piso bajo un magnífico piano de cola que el comisario no había podido llevarse por la oposición del general. La voz de éste se elevó sobre el sonido de las cuerdas. Era una voz de barítono algo opaca, pero que comunicaba un temblor apasionado a su romanza. El viejo se sintió conmovido; no entendía las palabras, pero las lágrimas se agolparon a sus ojos. Pensó en su familia, en las desgracias y peligros que le rodeaban, en la dificultad de volver a encontrar a los suyos . . . Como si la música tirase de él, descendió poco a poco al piso bajo. ¡ Qué artista aquel hombre altivamente burlón ! ¡ Qué alma la suya ! . . . Los alemanes engañaban a primera vista con su exterior rudo y su disciplina, que les hacía cometer sin escrúpulo las mayores atrocidades. Había que vivir en intimidad con ellos para apreciarlos tales como eran.

Cuando cesó la música estaba en el puente del castillo. Un suboficial contemplaba las evoluciones de los cisnes en las aguas del foso. Era un joven doctor en Derecho que desempeñaba la función de secretario cerca de Su Excelencia; un hombre de Universidad movilizado por la guerra.

Al hablar con don Marcelo reveló inmediatamente su origen. Le había sorprendido la orden de partida estando de profesor en un colegio privado y en vísperas de casarse. Todos sus planes habían quedado deshechos.

— ¡ Qué calamidad, señor ! . . . ¡ Qué trastorno para el mundo ! . . . Y sin embargo, éramos muchos los que veíamos llegar la catástrofe. Forzosamente debía sobrevenir un día u otro. El capitalismo, el maldito capitalismo tiene la culpa.

El suboficial era socialista. No ocultaba su participación en actos del partido que le habían originado persecuciones y retrasos en su carrera. Pero la Social-Democracia se veía ahora aceptada por el emperador y halagada por los *junkers* más reaccionarios. Todos eran unos. Los diputados del partido formaban en el *Reichstag* el grupo más obediente al gobierno . . . Él sólo guardaba de su pasado cierto fervor para anatematizar al capitalismo, culpable de la guerra.

Desnoyers se atrevió a discutir con este enemigo que parecía de carácter dulce y tolerante. « ¿No sería el verdadero responsable el militarismo alemán? ¿No habría buscado y preparado el conflicto, impidiendo todo arreglo con sus arrogancias? . . . »

Negó rotundamente el socialista. Sus diputados apoyaban la guerra, y para hacer esto sus motivos tendrían. Se notaba en él la supeditación a la disciplina, la eterna disciplina germánica, ciega y obediente, que gobierna hasta a los partidos avanzados. En vano el francés repitió argumentos y hechos, todo cuanto había leído desde el principio de la guerra. Sus palabras resbalaron sobre la dureza de este revolucionario acostumbrado a delegar las funciones del pensamiento.

— ¡Quién sabe! — acabó por decir —. Tal vez nos hayamos equivocado. Pero en el instante actual todo está confuso: faltan elementos de juicio para formar una opinión exacta. Cuando termine el conflicto conoceremos a los verdaderos culpables, y si son los nuestros les exigiremos responsabilidad.

Sintió ganas de reír Desnoyers ante esta candidez. ¡Esperar el final de la guerra para saber quién era el culpable! . . . Y si el imperio resultaba vencedor, ¿qué responsabilidad iban a exigirle, en pleno orgullo de la victoria, ellos que se habían limitado siempre a las batallas electorales, sin el más leve intento de rebeldía?

— Sea quien sea el autor — continuó el suboficial —,

esta guerra es triste. ¡Cuántos hombres muertos!... Yo estuve en Charleroi. Hay que ver de cerca la guerra moderna... Venceremos; vamos a entrar en París, según dicen, pero caerán muchos de los nuestros antes de obtener la última victoria...

Y para alejar las visiones de muerte fijas en su pensamiento, siguió con los ojos la marcha de los cisnes, ofreciéndoles pedazos de pan que les hacían torcer el curso de su natación, lenta y majestuosa.

El conserje y su familia pasaban el puente con frecuentes entradas y salidas. Al ver a su señor en buenas relaciones con los invasores, habían perdido el miedo que los mantenía recluídos en su vivienda. A la mujer le parecía natural que don Marcelo viese reconocida su autoridad por aquella gente: el amo siempre es el amo. Y como si hubiese recibido una parte de esta autoridad, entraba sin temor en el castillo, seguida de su hija, para poner en orden el dormitorio del dueño. Querían pasar la noche cerca de él, para que no se viese solo entre los alemanes.

Las dos mujeres trasladaron ropas y colchones desde el pabellón al último piso. El conserje estaba ocupado en calentar el segundo baño de Su Excelencia. Su esposa lamentaba con gestos desesperados el saqueo del castillo. ¡Qué de cosas ricas desaparecidas!... Deseosa de salvar los últimos restos, buscaba al dueño para hacerle denuncias, como si éste pudiese impedir el robo individual y cauteloso. Los ordenanzas y escribientes del conde se metían en los bolsillos todo lo que resultaba fácil de ocultar. Decían sonriendo que eran recuerdos. Luego se aproximó con aire misterioso para hacerle una nueva revelación. Había visto a un jefe forzar los cajones donde guardaba la señora la ropa blanca, y cómo formaba un paquete con las prendas más finas y gran cantidad de blondas.

—Ése es, señor—dijo de pronto señalando a un alemán que escribía en el jardín, recibiendo sobre la mesa un rayo oblicuo de sol que se filtraba entre las ramas.

Don Marcelo lo reconoció con sorpresa. ¡También el comandante Blumhardt!... Pero inmediatamente excusó su acto. Encontraba natural que se llevase algo de su casa, después que el comisario había dado el ejemplo. Además tuvo en cuenta la calidad de los objetos que se apropiaba. No eran para él: eran para la esposa, para las niñas... Un buen padre de familia. Más de una hora llevaba ante la mesa escribiendo sin cesar, conversando pluma en mano con su Augusta, con toda la familia que vivía en Cassel. Mejor era que se llevase lo suyo este hombre bueno, que los otros oficiales, altivos, de voz cortante e insolente tiesura...

Vió cómo levantaba la cabeza cada vez que pasaba Georgette, la hija del conserje, siguiéndola con los ojos. ¡Pobre padre!... Indudablemente se acordaba de las dos señoritas que vivían en Alemania con el pensamiento ocupado por los peligros de la guerra. Él también se acordaba de Chichí, temiendo no verla más. En uno de sus viajes desde el castillo al pabellón, la muchacha fué llamada por el alemán. Permaneció erguida ante su mesa, tímida, como si presintiese un peligro, pero haciendo esfuerzos para sonreír. Mientras tanto, Blumhardt le hablaba acariciándole las mejillas con sus manazas de hombre de pelea. A Desnoyers le conmovió esta visión. Los recuerdos de una vida pacífica y virtuosa resurgían a través de los horrores de la guerra. Decididamente este enemigo era un buen hombre.

Por eso sonrió con amabilidad cuando el comandante, abandonando la mesa, fué hacia él. Entregó su carta y un paquete voluminoso a un soldado para que los llevase al pueblo, donde estaba la estafeta del batallón.

— Es para mi familia — dijo —. No dejo pasar un día de descanso sin enviar carta. ¡Las suyas son tan preciosas para mí!... También envío unos pequeños recuerdos.

Desnoyers estuvo próximo a protestar. ¡Pequeños, no!... Pero con un gesto de indiferencia dió a entender que aceptaba los regalos hechos a costa suya. El comandante siguió hablando de la dulce Augusta y de sus hijos, mientras tronaba la tempestad invisible en el horizonte sereno del atardecer. Cada vez era más intenso el cañoneo.

— La batalla — continuó Blumhardt —. ¡Siempre la batalla!... Seguramente es la última y la ganaremos. Antes de una semana vamos a entrar en París... ¡Pero cuántos no llegarán a verlo! ¡Qué de muertos!... Creo que mañana ya no estaremos aquí. Todas las reservas tendrán que atacar para vencer la suprema resistencia... ¡Con tal que yo no caiga!...

La posibilidad de morir al día siguiente contrajo su rostro con un gesto de rencor. Una arruga vertical partía sus cejas. Miró a Desnoyers con ferocidad, como si le hiciese responsable de su muerte y de la desgracia de su familia. Durante unos minutos don Marcelo no reconoció al Blumhardt dulce y familiar de poco antes, dándose cuenta de las transformaciones que la guerra realiza en los hombres.

Empezaba el ocaso cuando un suboficial — el mismo de la Social-Democracia — llegó corriendo en busca del comandante. Desnoyers no podía entenderle por hablar en alemán, pero siguiendo las indicaciones de su mano vió en la entrada del castillo, más allá de la verja, un grupo de gente campesina y unos cuantos soldados con fusiles. Blumhardt, después de corta reflexión, emprendió la marcha hacia el grupo y don Marcelo fué tras de él.

Vió a un muchacho del pueblo entre dos alemanes que le apuntaban al pecho con sus bayonetas. Estaba pálido, con una palidez de cera. Su camisa, sucia de hollín, aparecía desgarrada de un modo trágico, denunciando los manotones de la lucha. En una sien tenía una desolladura que manaba sangre. A corta distancia una mujer con el pelo suelto, rodeada de cuatro niñas y un pequeñuelo, todos manchados de negro, como si surgiesen de un depósito de carbón.

La mujer hablaba elevando las manos, dando gemidos que interrumpían su relato, dirigiéndose inútilmente a los soldados, incapaces de entenderla. El suboficial que mandaba la escolta habló en alemán con el comandante, y mientras tanto la mujer se dirigió a Desnoyers. Mostraba una repentina serenidad al reconocer al dueño del castillo, como si éste pudiese salvarla.

Aquel mocetón era hijo suyo. Estaban refugiados desde el día anterior en la cueva de su casa incendiada. El hambre les había hecho salir, luego de librarse de una muerte por asfixia. Los alemanes, al ver a su hijo, lo habían golpeado y querían fusilarlo, como fusilaban a todos los mozos. Creían que el muchacho tenía veinte años: lo consideraban en edad de ser soldado, y para que no se incorporase al ejército francés lo iban a matar.

—¡Es mentira!—gritó la mujer—. No tiene más que diez y ocho... Tampoco diez y ocho... menos aún, sólo tiene diez y siete.

Se volvía a otras mujeres que iban detrás de ella, para invocar su testimonio; tristes hembras, igualmente sucias, con el rostro ennegrecido y las ropas desgarradas, oliendo a incendio, a miseria, a cadáver. Todas asentían, agregando sus gritos a los de la madre. Algunas extremaban sus declaraciones atribuyendo al muchacho diez y seis años... quince. Y a este coro de femeniles vociferaciones se unían los gemidos de los pequeños, que contemplaban a su hermano con los ojos agrandados por el terror.

El comandante examinó al prisionero mientras escuchaba al suboficial. Un empleado del municipio había confesado aturdidamente que tenía veinte años, sin adivinar que con esto causaba su muerte.

—¡Mentira!—repitió la madre, adivinando por instinto lo que hablaban—. Ese hombre se equivoca... Mi hijo es robusto, parece de más edad, pero no tiene veinte años... El señor, que lo conoce, puede decirlo. ¿No es verdad, señor Desnoyers?

Al ver reclamado su auxilio por la desesperación maternal, creyó don Marcelo que debía intervenir, y habló al comandante. Conocía mucho a este mozo (no recordaba haberlo visto nunca) y le creía menor de veinte años.

—Y aunque los tuviera—añadió—, ¿es eso un delito para fusilar a un hombre?

Blumhardt no contestaba. Desde que había recobrado sus funciones de mando parecía ignorar la existencia de don Marcelo. Fué a decir algo, a dar una orden, pero vaciló. Era mejor consultar a Su Excelencia. Y viendo que se dirigía al castillo, Desnoyers marchó a su lado.

— Comandante, esto no puede ser — comenzó diciendo —. Esto carece de sentido. ¡Fusilar a un hombre por la sospecha de que puede tener veinte años!...

Pero el comandante callaba y seguía caminando. Al pasar el puente oyeron los sonidos del piano. Esto pareció de buen augurio a Desnoyers. Aquel artista que le conmovía con su voz apasionada iba a decir la palabra salvadora.

Al entrar en el salón tardó en reconocer a Su Excelencia. Vió un hombre ante el piano llevando por toda vestidura una bata japonesa, un *kimono* femenil de color rosa, con pájaros de oro, perteneciente a su Chichí. En otra ocasión hubiese lanzado una carcajada al contemplar a este guerrero, enjuto, huesoso, de ojos crueles, sacando por las mangas sueltas unos brazos nervudos, en una de cuyas muñecas seguía brillando la pulsera de oro. Había tomado el baño y retardaba el momento de recobrar su uniforme, deleitándose con el sedoso contacto de la túnica femenina, igual a sus vestiduras orientales de Berlín. Blumhardt no manifestó la más leve extrañeza ante el aspecto de su general. Erguido militarmente habló en su idioma, mientras el conde le escuchaba con aire aburrido, pasando sus dedos sobre las teclas.

Una ventana próxima dejaba visible la puesta del sol, envolviendo en un nimbo de oro el piano y el ejecutante. La poesía del ocaso entraba por ella; susurros del ramaje, cantos moribundos de pájaros, zumbidos de insectos que brillaban como chispas bajo el último rayo solar. Su Excelencia, viendo interrumpido su ensueño melancólico por la inoportuna visita, cortó el relato del comandante con un gesto de mando y una palabra . . . una sola. No dijo más. Dió dos chupadas a un cigarrillo turco, que chamuscaba lentamente la madera del piano, y sus manos volvieron a caer sobre el marfil, reanudando la improvisación vaga y tierna inspirada por el crepúsculo.

— Gracias, Excelencia — dijo el viejo, adivinando su magnánima respuesta.

El comandante había desaparecido. Tampoco le encontró fuera de la casa. Un soldado trotaba cerca de la verja para transmitir la orden. Vió cómo la escolta repelía con las culatas al grupo vociferante de mujeres y chiquillos. Quedó limpia la entrada. Todos se alejaban indudablemente hacia el pueblo, después del perdón del general . . . Estaba en mitad de la avenida, cuando sonó un aullido compuesto de muchas voces, un grito espeluznante como sólo puede lanzarlo la desesperación femenil. Al mismo tiempo conmovieron el aire fuertes trallazos, un crepitamiento que conocía desde el día anterior. ¡Tiros! . . . Adivinó al otro lado de la verja un rudo vaivén de personas; unas retorciéndose contenidas por fuertes brazos, otras huyendo con el galope del miedo. Vió correr hacia él una mujer despavorida, con las manos en la cabeza, lanzando gemidos. Era la esposa del conserje, que se había agregado poco antes al grupo de mujeres.

— ¡No vaya, señor! — gritó cortándole el paso —. Lo han matado . . . acaban de fusilarle.

Don Marcelo quedó inmóvil por la sorpresa. ¡Fusilado! . . . ¿Y la palabra del general? . . . Corrió hacia el castillo sin darse cuenta de lo que hacía, y se vió de pronto en el salón. Su Excelencia continuaba ante el piano. Ahora cantaba a media voz, con los ojos húmedos por la poesía de sus recuerdos. Pero el viejo no podía escucharle.

— Excelencia: lo han fusilado . . . Acaban de matarle, a pesar de la orden.

La sonrisa del jefe le hizo comprender de pronto su engaño.

— Es la guerra, querido señor — dijo cesando de tocar —. La guerra con sus crueles necesidades . . . Siempre es prudente suprimir al enemigo de mañana.

Y con aire pedantesco, como si diese una lección, habló de los orientales, grandes maestros en el arte de saber vivir. Uno de los personajes más admirados por él era cierto sultán de la conquista turca, que estrangulaba con sus propias manos a los hijos de los adversarios. « Nuestros enemigos no vienen al mundo a caballo y empuñando la lanza — decía el héroe —. Nacen niños como todos, y es oportuno suprimirlos antes de que crezcan. »

Desnoyers le escuchaba sin entenderle. Una idea única ocupaba su pensamiento. ¡ Y aquel hombre que él creía bueno, aquel sentimental que se enternecía cantando, había dado fríamente, entre dos arpegios, su orden de muerte ! . . .

El conde hizo un gesto de impaciencia. Podía retirarse, y le aconsejaba que en adelante fuese discreto, evitando el inmiscuirse en los asuntos del servicio. Luego le volvió la espalda e hizo correr las manos sobre el piano, entregándose a su melancolía armoniosa.

Empezó para don Marcelo una vida absurda que iba

a durar cuatro días, durante los cuales se sucedieron los más extraordinarios acontecimientos. Este período representó en su historia un largo paréntesis de estupefacción, cortado por horribles visiones.

No quiso encontrarse más con aquellos hombres y huyó de su propio dormitorio, refugiándose en el último piso, en un cuarto de doméstico, cerca del que había escogido la familia del conserje. En vano la buena mujer le ofreció comida al cerrar la noche: no sentía apetito. Estaba tendido en la cama. Prefería la obscuridad y el verse a solas con sus pensamientos. ¡Cuándo terminaría esta angustia! . . .

Se acordó de un viaje que había hecho a Londres años antes. Veía con la imaginación el Museo Británico y ciertos relieves asirios que le habían llenado de pavor, como restos de una humanidad bestial. Los guerreros incendiaban las poblaciones, los prisioneros eran degollados en montón, la muchedumbre campesina y pacífica marchaba en filas con la cadena al cuello, formando ristras de esclavos. Nunca había reconocido como en aquel momento la grandeza de la civilización presente. Todavía surgían guerras de vez en cuando, pero habían sido reglamentadas por el progreso. La vida de los prisioneros resultaba sagrada, los pueblos debían ser respetados, existía todo un cuerpo de leyes internacionales para reglamentar cómo deben matarse los hombres y combatirse las naciones, causándose el menor daño posible . . . Pero ahora acababa de ver la realidad de la guerra. ¡Lo mismo que miles de años antes! Los hombres con casco procedían de igual modo que los sátrapas perfumados y feroces de mitra azul y barba anillada. El adversario era fusilado aunque no tuviese armas; el prisionero moría a culatazos; las poblaciones civiles emprendían en masa el camino de Alemania, como los cautivos de otros siglos. ¿ De qué había servido el llamado progreso ? ¿ Dónde estaba la civilización ? . . .

Despertó al recibir en sus ojos la luz de una bujía. La mujer del conserje había subido otra vez para preguntarle si necesitaba algo.

— ¡ Qué noche ! . . . Óigalos cómo gritan y cantan. ¡ Las botellas que llevan bebidas ! . . . Están en el comedor. Es preferible que usted no los vea . . . Ahora se divierten rompiendo los muebles. Hasta el conde está borracho; borracho también ese jefe que hablaba con usted, y los demás . . .

El dueño la hizo callar. ¿ Para qué enterarle de todo esto ? . . .

— ¡ Y nosotros obligados a servirles ! . . . — continuó gimiendo la mujer —. Están locos: parecen otros hombres. Los soldados dicen que se marchan al amanecer. Hay una gran batalla, van a ganarla, pero todos necesitan pelear en ella . . . Mi pobre marido ya no puede más. Tantas humillaciones . . . Y mi hija . . . ¡ mi hija ! . . .

Ésta era su mayor preocupación. La tenía oculta, pero seguía con inquietud las idas y venidas de algunos de estos hombres enfurecidos por el alcohol. De todos el más temible era aquel jefe que acariciaba paternalmente a Georgette.

El miedo por la seguridad de su hija le hizo marcharse después de lanzar nuevos lamentos.

— Dios no se acuerda del mundo . . . ¡ Ay, qué será de nosotros !

Ahora permaneció desvelado don Marcelo. Por la ventana abierta entraba la luz tenue de una noche serena. Seguía el cañoneo, prolongándose el combate en la obscuridad. Al pie del castillo entonaban los soldados un cántico lento y melódico que parecía un salmo. Del interior del edificio subió hasta él un estrépito de carcajadas brutales, ruido de muebles que se rompían, correteos de regocijada persecución. ¿Cuándo podría salir de este infierno?... Transcurrió mucho tiempo: no llegó a dormirse, pero fué perdiendo poco a poco la noción de lo que le rodeaba. De pronto se incorporó. Cerca de él, en el mismo piso, una puerta se había rajado con sordo crujido, no pudiendo resistir varios empujones formidables. Antes de poner los pies en el suelo oyó una voz de hombre, la de su conserje, estaba seguro.

—¡Ah, bandido!...

Luego el estrépito de una segunda lucha... un tiro ... silencio.

Al salir al amplio corredor que terminaba en la escalera vió luces y muchos hombres que subían en tropel saltando los peldaños. Casi cayó al tropezar con un cuerpo del que se escapaba un rugido de agonía. El conserje estaba a sus pies, agitando el pecho con movimiento de fuelle. Tenía los ojos vidriosos y desmesuradamente abiertos; su boca se cubría de sangre... Junto a él brillaba un cuchillo de cocina. Después vió a un hombre con un revólver en la diestra, conteniendo al mismo tiempo con la otra mano una puerta rota que alguien intentaba abrir desde adentro. Lo reconoció a pesar de su palidez verdosa y del extravío de su mirada. Era Blumhardt; un Blumhardt nuevo, con una expresión bestial de orgullo y de insolencia que infundía espanto.

Se lo imaginó recorriendo el castillo en busca de la presa deseada, la inquietud del padre siguiendo sus pasos, los gritos de la muchacha, la lucha desigual entre el enfermo con su arma de ocasión y aquel hombre de guerra sostenido por la victoria. La cólera de los años juveniles despertó en él audaz y arrolladora. ¿ Qué le importaba morir ? . . .

— ¡ Ah, bandido ! — rugió como el otro.

Y con los puños cerrados marchó contra el alemán. Éste le puso el revólver ante los ojos, sonriendo fríamente. Iba a disparar . . . Pero en el mismo instante Desnoyers cayó al suelo, derribado por los que acababan de subir. Recibió varios golpes: las pesadas botas de los invasores le martillearon con su taconeo. Sintió en su rostro un chorro caliente. ¡ Sangre ! . . . No sabía si era suya o de aquel cuerpo en el que se iba apagando el jadeo mortal. Luego se vió elevado del suelo por varias manos que le empujaban ante un hombre. Era Su Excelencia, con el uniforme desabrochado y oliendo a vino. Sus ojos temblaban lo mismo que su voz.

— Mi querido señor — dijo intentando recobrar su ironía mortificante —. Le aconsejé que no interviniese en nuestras cosas y no me ha hecho caso. Sufra las consecuencias de su falta de discreción.

Dió una orden y el viejo se sintió impelido escalera abajo hasta las cuevas. Los que le conducían eran soldados al mando de un suboficial. Reconoció al socialista. El joven profesor era el único que no estaba ebrio, pero se mantenía erguido, inabordable, con la ferocidad de la disciplina.

Lo introdujo en una pieza abovedada sin otro respiradero que un ventanuco a ras del suelo. Muchas botellas rotas y dos cajones con alguna paja era todo lo que había en la cueva.

—Ha insultado usted a un jefe —dijo el suboficial rudamente— y es indudable que lo fusilarán al amanecer . . . Su única salvación consiste en que siga la fiesta y le olviden.

Como la puerta estaba rota, lo mismo que todas las del castillo, hizo colocar ante ella un montón de muebles y cajones.

Don Marcelo pasó el resto de la noche atormentado por el frío. Era lo único que le preocupaba en aquel momento. Había renunciado a la vida: hasta la imagen de los suyos se fué borrando de su memoria. Trabajó en la obscuridad para acomodarse sobre los dos cajones buscando el calor de la paja. Cuando empezaba a soplar por el ventanillo la brisa del alba cayó lentamente en un sueño pesado, un sueño embrutecedor, igual al de los condenados a muerte o al que precede a una mañana de desafío. Le pareció oír gritos en alemán, trotes de caballos, un rumor lejano de redobles y silbidos semejante al que producían los batallones invasores con sus pífanos y sus tambores planos . . . Luego perdió por completo la sensación de lo que le rodeaba.

Al abrir otra vez sus ojos, un rayo de sol, deslizándose por el ventanuco, trazaba un cuadrilátero de oro en la pared, dando un regio esplendor a las telarañas colgantes. Alguien removía la barricada de la puerta. Una voz de mujer, tímida y angustiada, le llamó repetidas veces.

—Señor, ¿está usted ahí?

Levantándose de un salto quiso prestar ayuda a este trabajo exterior, y empujó la puerta vigorosamente. Pensó que los invasores se habían ido. No comprendía de otro modo que la esposa del conserje se atreviese a sacarle de su encierro.

— Sí, se han marchado — dijo ella —. No queda nadie en el castillo.

Al encontrar libre la salida vió don Marcelo a la pobre mujer con los ojos enrojecidos, la faz huesosa, el pelo en desorden. La noche había gravitado sobre su existencia con un peso de muchos años. Toda su energía se desvaneció de golpe al reconocer al dueño. « Señor . . . señor », gimió convulsivamente. Y se arrojó en sus brazos derramando lágrimas.

Don Marcelo no deseaba saber nada; tenía miedo a la verdad. Sin embargo, preguntó por el conserje. Ahora que estaba despierto y libre acarició la esperanza momentánea de que todo lo visto por él en la noche anterior fuese una pesadilla. Tal vez vivía aún el pobre hombre . . .

— Lo mataron, señor . . . Lo asesinó aquel hombre que parecía bueno . . . Y no sé dónde está su cuerpo: nadie ha querido decírmelo.

Tenía la sospecha de que el cadáver estaba en el foso. Las aguas verdes y tranquilas se habían cerrado misteriosamente sobre esta ofrenda de la noche . . . Desnoyers adivinó que otra desgracia preocupaba aún más a la madre, pero se mantuvo en púdico silencio. Fué ella la que habló, entre exclamaciones de dolor . . . Georgette estaba en el pabellón; había huído horrorizada del castillo al marcharse los invasores.

Habían salido del subterráneo y atravesaron el puente. La mujer miró con fijeza las aguas verdes y unidas. El cadáver de un cisne flotaba sobre ellas. Antes de partir, mientras ensillaban sus caballos, dos oficiales se habían entretenido cazando a tiros de revólver los habitantes de la laguna. Las plantas acuáticas tenían sangre: entre sus hojas flotaban unos bullones blancos y flácidos como lienzos escapados de las manos de una lavandera.

Don Marcelo y la mujer cambiaron una mirada de lástima. Se compadecieron mutuamente al contemplar a la luz del sol su miseria y su envejecimiento.

El paso de aquellas gentes lo había destruído todo; no quedaba en el castillo otro alimento que unos pedazos de pan duro olvidados en la cocina. « Y hay que vivir, señor . . . Hay que vivir aunque sólo sea para ver cómo los castiga Dios . . . » El viejo levantó los hombros con desaliento: ¿ Dios ? . . . Pero aquella mujer tenía razón: había que vivir.

Con la audacia de su primera juventud, cuando navegaba por los mares infinitos de tierra del nuevo mundo guiando tropas de reses, se lanzó fuera de su parque. Vió el valle, rubio y verde, sonriendo bajo el sol; los grupos de árboles; los cuadrados de tierra amarillenta, con las barbas duras del rastrojo; los setos, en los que cantaban pájaros; todo el esplendor veraniego de una campiña cultivada y peinada durante quince siglos por docenas y docenas de generaciones. Y sin embargo, se consideró solo, a merced del destino, expuesto a perecer de hambre; más solo que cuando atravesaba las horrendas alturas de los Andes, las tortuosas cumbres de roca y nieve, envueltas en un silencio mortal, interrumpido de tarde en tarde por el aleteo del cóndor. Nadie . . . Su vista no distinguió un solo punto movible: todo fijo, inmóvil, cristalizado, como si se contrajese de pavor ante el trueno que seguía rodando en el horizonte.

Se encaminó al pueblo, masa de paredones negros de la que emergían varias casuchas intactas y un campanario sin tejas, con la cruz torcida por el fuego. Nadie tampoco en sus calles, sembradas de botellas, de maderos chamuscados, de cascotes cubiertos de hollín. Los cadáveres habían desaparecido, pero un hedor nauseabundo de grasa descompuesta, de carne quemada, parecía agarrarse a las fosas nasales. Lo atravesó todo, hasta llegar al sitio ocupado por la barricada de los dragones. Aún estaban las carretas a un lado del camino. Vió un montículo de tierra en el mismo lugar del fusilamiento. Dos pies y una mano asomaban a ras del suelo. Al aproximarse se desprendieron unos bultos negros de esta fosa poco profunda, que dejaba al descubierto los cadáveres. Un tropel de alas duras batió el espacio, alejándose con graznidos de cólera.

Volvió sobre sus pasos. Gritaba ante las casas menos destrozadas; introducía su cabeza por puertas y ventanas limpias de obstáculos o con hojas de madera a medio consumir. ¿No había quedado nadie en Villeblanche? . . . Columbró entre las ruinas algo que avanzaba a gatas, una especie de reptil que se detenía en su arrastre con vacilaciones de miedo, pronto a retroceder para deslizarse en su madriguera. Súbitamente tranquilizada la bestia, se irguió. Era un hombre, un viejo. Otras larvas humanas fueron surgiendo al conjuro de sus gritos, pobres seres que habían renunciado a la verticalidad que denuncia desde lejos, y envidiaban a los organismos inferiores su deslizamiento por el polvo, su prontitud para escurrirse en las entrañas de la tierra. Eran mujeres y niños en su mayor parte, todos sucios, negros, con el cabello enmarañado, el ardor de los apetitos bestiales en los ojos, el desaliento del animal débil en la mandíbula caída. Vivían ocultos en los escombros de sus casas. El miedo les había hecho olvidar el hambre; pero al verse libres de enemigos, reaparecían de golpe todas sus necesidades incubadas por las horas de angustia.

Desnoyers creyó estar rodeado de una tribu de indios, famélicos y embrutecidos, igual a las que había visto en sus viajes de aventurero. Traía con él desde París una cantidad de piezas de oro, y sacó una moneda, haciéndola brillar al sol. Necesitaba pan, necesitaba todo lo que fuese comestible: pagaría sin regatear.

La vista del oro provocó miradas de entusiasmo y codicia; pero esta impresión fué breve. Los ojos acabaron por contemplar con indiferencia el redondel amarillo. Don Marcelo se convenció de que el milagroso fetiche había perdido su poder. Todos entonaban un coro de desgracias y horrores con voz lenta y quejumbrosa, como si llorasen ante un féretro: « Señor, han muerto a mi marido . . . » « Señor, mis hijos; me faltan dos hijos . . . » « Señor, se han llevado presos a todos los hombres: dicen que es para trabajar la tierra en Alemania . . . » « Señor, pan; mis pequeños se mueren de hambre. »

El grupo miserable tendía en círculo sus manos hacia aquel hombre cuya riqueza conocían todos. Las mujeres le enseñaban sus criaturas amarillentas, con los ojos velados por el hambre y una respiración apenas perceptible. « Pan . . . pan », imploraban, como si él pudiese hacer un milagro. Entregó a una madre la moneda que tenía entre los dedos. Luego dió otras piezas de oro. Las guardaban sin mirarlas y seguían su lamento: « Pan . . . pan. » ¡ Y él había ido hasta allí para hacer la misma súplica ! . . . Huyó, reconociendo la inutilidad de su esfuerzo.

IV. LA BATALLA

Cuando regresaba desesperado a su propiedad, encontró grandes automóviles y hombres a caballo, que llenaban el camino formando larguísimo convoy. Seguían la misma dirección que él. Al entrar en su parque, un grupo de alemanes estaba tendiendo los hilos de una línea telefónica. Acababan de recorrer las habitaciones en desorden y reían a carcajadas leyendo la inscripción trazada por el capitán von Hartrott: « Se ruega no saquear . . . » Encontraban la farsa muy ingeniosa, muy germánica.

El convoy invadió el parque. Los automóviles y furgones llevaban una cruz roja. Un hospital de sangre iba a establecerse en el castillo. Los médicos, vestidos de verde y armados lo mismo que los oficiales, imitaban su altivez cortante, su repelente tiesura. Salían de los furgones centenares de camas plegadizas, alineándose en las diversas piezas; los muebles que aún quedaban fueron arrojados en montón al pie de los árboles. Grupos de soldados obedecían con prontitud mecánica las órdenes breves e imperiosas. Un perfume de botica, de drogas concentradas, se esparció por las habitaciones, mezclándose con el fuerte olor de los antisépticos que habían rociado las paredes para borrar los residuos de la orgía nocturna. Vió después mujeres vestidas de blanco, mocetonas de mirada azul y pelo de cáñamo. Tenían un aspecto grave, duro, austero, implacable. Empujaron repetidas veces a Desnoyers como si no le viesen. Parecían monjas, pero con revólver debajo del hábito.

A mediodía empezaron a llegar otros automóviles,

atraídos por la enorme bandera blanca con una cruz roja que había empezado a ondear en lo alto del castillo. Venían de la parte del Marne: su metal estaba abollado por los proyectiles; sus vidrios tenían roturas en forma de estrella. Bajaban de su interior hombres y más hombres: unos por su pie, otros en camillas de lona; rostros pálidos y rubicundos, perfiles aquilinos y achatados, cabezas rubias y cráneos envueltos en turbantes blancos con manchas de sangre; bocas que reían con risa de bravata y bocas que gemían con los labios azulados; mandíbulas sostenidas por vendajes de momia; gigantes que no mostraban destrozos aparentes y estaban en la agonía; cuerpos informes rematados por una testa que hablaba y fumaba; piernas con piltrafas colgantes que esparcían un líquido rojo entre los lienzos de la primera cura; brazos que pendían inertes como ramas secas; uniformes desgarrados en los que se notaba el trágico vacío de los miembros ausentes.

La avalancha de dolor se esparció por el castillo. A las pocas horas todo él estaba ocupado; no había un lecho libre; las últimas camillas quedaron a la sombra de los árboles. Funcionaban los teléfonos incesantemente; los operadores, puestos de mandil, iban de un lado a otro, trabajando con rapidez; la vida humana era sometida a los procedimientos salvadores con rudeza y celeridad. Los que morían dejaban una cama libre a los otros que iban llegando. Desnoyers vió cestos que goteaban, llenos de carne informe; piltrafas, huesos rotos, miembros enteros. Los portadores de estos residuos iban al fondo de su parque para enterrarlos en una plazoleta que era el lugar favorito de las lecturas de Chichí.

Soldados formando parejas llevaban objetos envueltos en sábanas que el dueño del castillo reconocía como suyas. Estos bultos eran cadáveres. El parque se convertía en cementerio. Ya no bastaba la plazoleta para contener los muertos y los residuos de las curas: nuevas fosas se iban abriendo en las inmediaciones. Los alemanes armados de palas habían buscado auxiliares para su fúnebre trabajo. Una docena de campesinos prisioneros removían la tierra y ayudaban en la descarga de los muertos. Ahora los conducían en una carreta hasta el borde de la fosa, cayendo en ella como los escombros acarreados de una demolición. Don Marcelo sintió un placer monstruoso al considerar el número creciente de enemigos desaparecidos, pero a la vez lamentaba esta avalancha de intrusos que iba a fijarse para siempre en sus tierras.

Al anochecer, anonadado por tantas emociones, sufrió el tormento del hambre. Sólo había comido uno de los pedazos de pan encontrados en la cocina por la viuda del conserje. En vano, aguijoneado por la necesidad, se dirigió a algunos médicos que hablaban francés. No le escucharon, y al insistir en sus peticiones lo pusieron a distancia con rudo manotón . . . ¡ Él no iba a perecer de hambre en medio de sus propiedades ! Aquellas gentes comían: las duras enfermeras se habían instalado en su cocina . . . Pero transcurrió el tiempo sin encontrar quien se apiadase de su persona, arrastrando su debilidad de un lado a otro, viejo con una vejez de miseria, sintiendo en todo su cuerpo la impresión de los golpes recibidos en la noche anterior. Conoció el tormento del hambre como no lo había sufrido nunca en sus viajes por las llanuras desiertas, el hambre entre los hombres, en un país civilizado, llevando sobre su cuerpo un cinto lleno de oro, rodeado de tierras y edificios que eran suyos, pero de los que disponían otros que no se dignaban entenderle. ¡ Y para llegar a esta situación al término de su vida había amasado millones y había vuelto a Europa ! . . . ¡ Ah, ironía de la suerte ! . . .

Vió a un sanitario que con la espalda apoyada en un tronco iba a devorar un pan y un pedazo de embutido. Sus ojos envidiosos examinaron a este hombre, grande, cuadrado, de mandíbula fuerte cubierta por la florescencia de una barba roja. Avanzó con muda invitación una moneda de oro entre sus dedos. Brillaron los ojos del alemán al ver el oro; una sonrisa beatífica dilató su boca casi de oreja a oreja.

— *Ja* — dijo comprendiendo la mímica.

Y le entregó sus comestibles tomando la moneda.

Don Marcelo comenzó a tragar con avidez. Nunca había saboreado la sensualidad de la alimentación como en aquel instante, en medio de su jardín convertido en cementerio, frente a su castillo saqueado, donde gemían y agonizaban centenares de seres. Un brazo gris pasó ante sus ojos. Era el alemán, que volvía con dos panes y un pedazo de carne arrebatados de la cocina. Repitió su sonrisa: « *¿Ja ?* . . . » Y luego de entregarle el viejo una segunda moneda de oro, pudo ofrecer estos alimentos a las dos mujeres refugiadas en el pabellón.

Durante la noche — una noche de penoso desvelo, cortada por visiones de horror — creyó que se aproximaba el rugido de la artillería. Era una diferencia apenas perceptible; tal vez un efecto del silencio nocturno que aumentaba la intensidad de los sonidos. Los automóviles seguían llegando del frente, soltaban su cargamento de carne destrozada y volvían a partir. Desnoyers pensó que su castillo no era más que uno de los muchos hospitales establecidos en una línea de más de cien kilómetros, y que al otro lado, detrás de los franceses, existían centros semejantes y en todos ellos reinaba igual actividad, sucediéndose con aterradora frecuencia las remesas de hombres moribundos. Muchos no conseguían siquiera el consuelo de verse recogidos: aullaban en medio del campo, hundiendo en el polvo o en el barro sus miembros sangrientos, expiraban revolcándose en sus propias entrañas . . . Y don Marcelo, que horas antes se consideraba el ser más infeliz de la creación, experimentó una alegría cruel al pensar en tantos miles de hombres vigorosos deshechos por la muerte que podían envidiar su vejez sana, la tranquilidad con que estaba tendido en aquel lecho.

A la mañana siguiente el sanitario le esperaba en el mismo sitio con una servilleta llena. ¡ Barbudo servicial y bueno ! . . . Le ofreció una moneda de oro.

— *Nein* — contestó estirando su boca con una sonrisa maliciosa.

Dos rodajas brillantes aparecieron en los dedos de don Marcelo. Otra sonrisa, *nein* y un movimiento negativo de cabeza. ¡ Ah, ladrón ! ¡ Cómo abusaba de su necesidad ! . . . Y sólo cuando le hubo entregado cinco monedas pudo adquirir el paquete de víveres.

Pronto notó en torno de su persona una conspiración sorda y astuta para apoderarse de su dinero. Un gigante con galones de sargento le puso una pala en la mano, empujándole rudamente. Se vió en el rincón de su parque convertido en cementerio, junto a la carreta de los cadáveres: tuvo que remover la tierra propia confundido con aquellos prisioneros, exasperados por la desgracia, que le trataban como un igual.

Volvió los ojos para no ver los cadáveres rígidos y grotescos que asomaban sobre su cabeza, al borde del hoyo, prontos a derramarse en el fondo de éste. El suelo exhalaba un hedor insufrible. Había empezado la descomposición de los cuerpos en las fosas inmediatas. La persistencia con que le acosaban sus guardianes y la sonrisa marrullera del sargento le hicieron adivinar el *chantage*. El sanitario de las barbas debía tener parte en todo esto. Soltó la pala, llevándose una mano al bolsillo con gesto de invitación. «*¡Ja!*», dijo el sargento. Y luego de entregar unas monedas pudo alejarse y vagar libremente. Sabía lo que le esperaba: aquellos hombres iban a someterle a una explotación implacable.

Transcurrió un día más, igual al anterior. En la mañana del siguiente, sus sentidos, afinados por la inquietud, le hicieron adivinar algo extraordinario. Los automóviles llegaban y partían con mayor rapidez; se notaba desorden y azoramiento en el personal. Sonaban los teléfonos con una precipitación loca; los heridos parecían más desalentados. El día anterior los había que cantaban al bajar de los vehículos, engañando su dolor con risas y bravatas. Hablaban de la victoria próxima, lamentando no presenciar la entrada en París. Ahora todos permanecían silenciosos, con gesto de enfurruñamiento, pensando en la propia suerte, sin preocuparse de lo que dejaban a su espalda.

Fuera del parque zumbó un ruido de muchedumbre. Negrearon los caminos. Empezaba otra vez la invasión, pero con movimiento de reflujo. Pasaron durante horas enteras rosarios de camiones grises entre los bufidos de sus motores fatigados. Luego regimientos de infantería, escuadrones, baterías rodantes. Marchaban lentamente, con una lentitud que desconcertaba a Desnoyers, no sabiendo si este retroceso era una fuga o un cambio de posición. Lo único que le satisfacía era el gesto embrutecido y triste de los soldados, el mutismo sombrío en los oficiales. Nadie gritaba; todos parecían haber olvidado el *Nach Paris*. El monstruo verdoso conservaba aún el armado testuz al otro lado del Marne, pero su cola empezaba a contraer los anillos con ondulaciones inquietas.

Después de cerrar la noche continuó el repliegue de las tropas. El cañoneo parecía aproximarse. Algunos truenos sonaban tan inmediatos que hacían temblar los vidrios de las ventanas. Un campesino fugitivo se refugió en el parque y pudo dar noticias a don Marcelo. Los alemanes se retiraban. Algunas de sus baterías se habían establecido en la orilla del Marne para intentar una nueva resistencia. Y el recién llegado se quedó, sin llamar la atención de los invasores, que días antes fusilaban a la menor sospecha.

Se había perturbado visiblemente el funcionamiento mecánico de su disciplina. Médicos y enfermeros corrían de un lado a otro dando gritos, profiriendo juramentos cada vez que llegaba un nuevo automóvil. Ordenaban al conductor que siguiese adelante, hasta otro hospital situado a retaguardia. Habían recibido la orden de evacuar el castillo aquella misma noche.

A pesar de la prohibición, uno de los carruajes se libró de su cargamento de heridos. Tal era el estado de éstos, que los médicos los aceptaron, juzgando inútil que continuasen su viaje. Quedaron en el jardín tendidos en las mismas camillas de lona que ocupaban dentro del vehículo. A la luz de las linternas Desnoyers reconoció a uno de los moribundos. Era el secretario de Su Excelencia, el profesor socialista que le había encerrado en la cueva.

Viendo al dueño del castillo sonrió como si encontrase a un compañero. Era el único rostro conocido entre todas aquellas gentes que hablaban su idioma. Estaba pálido, con las facciones enjutas y un velo impalpable sobre los ojos. No tenía heridas visibles, pero debajo del capote tendido sobre su vientre, las entrañas, deshechas en espantosa carnicería, exhalaban un hedor de cementerio. La presencia de Desnoyers le hizo adivinar adónde le habían llevado, y poco a poco coordinó sus recuerdos. Como si al viejo pudiera interesarle el paradero de sus camaradas, habló con voz tenue y trabajosa, que a él le parecía sin duda natural... ¡ Mala suerte la de su brigada ! Habían llegado al frente en un momento de apuro, para ser lanzados como tropa de refresco. Muerto el comandante Blumhardt en los primeros instantes: un proyectil de 75 se le había llevado la cabeza. Muertos casi todos los oficiales que se habían alojado en el castillo. Su Excelencia tenía la mandíbula arrancada por un casco de obús. Lo había visto en el suelo rugiendo de dolor, sacándose del pecho un retrato que intentaba besar con su boca rota. Él tenía el vientre destrozado por el mismo obús. Había estado cuarenta y dos horas en el campo sin que lo recogiesen...

Y con una avidez de universitario que quiere verlo todo y explicárselo todo, añadió en este momento supremo, con la tenacidad del que muere hablando:

— Triste guerra, señor... Faltan elementos de juicio

para decidir quién es el culpable . . . Cuando la guerra termine habrá . . . habrá . . .

Cerró los ojos, desvanecido por su esfuerzo. Desnoyers se alejó. ¡ Infeliz ! Colocaba la hora de la justicia en la terminación de la guerra, y mientras tanto era él quien terminaba, desapareciendo con todos sus escrúpulos de razonador lento y disciplinado.

Esta noche no durmió. Temblaban las paredes del pabellón, se movían los vidrios con crujidos de fractura, suspiraban inquietas las dos mujeres en la pieza inmediata. Al estrépito de los disparos alemanes se unían otras explosiones más cercanas. Adivinó los estallidos de los proyectiles franceses que llegaban buscando a la artillería enemiga por encima del Marne.

Su entusiasmo empezaba a resucitar, la posibilidad de una victoria apuntó en su pensamiento. Pero estaba tan deprimido por su miserable situación, que inmediatamente desechó tal esperanza. Los suyos avanzaban; pero su avance no representaba tal vez más que una ventaja local. ¡ Era tan extensa la línea de batalla ! . . . Iba a ocurrir lo que en 1870: el valor francés alcanzaría victorias parciales, modificadas a última hora por la estrategia de los enemigos hasta convertirse en derrotas.

Después de media noche cesó el cañoneo, pero no por esto se restableció el silencio. Rodaban automóviles ante el pabellón entre gritos de mando. Debía ser el convoy sanitario que evacuaba el castillo. Luego, cerca del amanecer, un estrépito de caballos, de máquinas rodantes pasó la verja, haciendo temblar el suelo. Media hora después sonó el trote humano de una multitud que marchaba aceleradamente, perdiéndose en las profundidades del parque.

Amanecía cuando saltó del lecho. Lo primero que vió al salir del pabellón fué la bandera de la Cruz Roja que seguía ondeando en lo alto del castillo. Ya no había camillas debajo de los árboles. En el puente encontró varios sanitarios y uno de los médicos. El hospital se había marchado con todos los heridos transportables. Sólo quedaban en el edificio, bajo la vigilancia de una sección, los más graves, los que no podían moverse. Las walkirias de la Sanidad habían desaparecido igualmente.

El barbudo era de los que se habían quedado, y al ver de lejos a don Marcelo sonrió, desapareciendo inmediatamente. A los pocos momentos reaparecía con las manos llenas. Nunca su presente había sido tan generoso. Presintió el viejo una gran exigencia, pero al llevarse la mano al bolsillo, el sanitario le contuvo:

— *Nein . . . Nein.*

¿ Qué generosidad era aquélla ? . . . El alemán insistió en su negativa. La boca enorme se dilataba con una sonrisa amable: sus manazas se posaron en los hombros de don Marcelo. Parecía un perro bueno, un perro humilde que acaricia a un transeunte para que le lleve con él. « *Franzosen . . . Franzosen.* » No sabía decir más, pero se adivinaba en sus palabras el deseo de hacer comprender que había sentido siempre gran simpatía por los franceses. Algo importante estaba ocurriendo; el aire malhumorado de los que permanecían en la puerta del castillo, la repentina obsequiosidad de este rústico con uniforme, lo daban a entender.

Más allá del edificio vió soldados, muchos soldados. Un batallón de infantería se había esparcido a lo largo de las tapias, con sus furgones y sus caballos de tiro y de montar. Los soldados manejaban picos, abriendo aspilleras en la pared, cortando su borde en forma de almenas. Otros se arrodillaban o sentaban junto a las aberturas, despojándose de la mochila para estar más desembarazados. A lo lejos sonaba el cañón, y en el intervalo de sus detonaciones un chasquido de tralla, un burbujeo de aceite frito, un crujir de molino de café, el crepitamiento incesante de fusiles y ametralladoras. El fresco de la mañana cubría los hombres y las cosas de un brillo de humedad. Sobre los campos flotaban vedijas de niebla, dando a los objetos cercanos las líneas inciertas de lo irreal. El sol era una mancha tenue al remontarse entre telones de bruma. Los árboles lloraban por todas las aristas de sus cortezas.

Un trueno rasgó el aire, próximo y ruidoso, como si estallase junto al castillo. Desnoyers vaciló, creyendo haber recibido un puñetazo en el pecho. Los demás hombres permanecieron impasibles, con la indiferencia de la costumbre. Un cañón acababa de disparar a pocos pasos de él... Sólo entonces se dió cuenta de que dos baterías se habían instalado en su parque. Las piezas estaban ocultas bajo cúpulas de ramaje; los artilleros derribaban árboles para enmascarar sus cañones con un disimulo perfecto. Vió cómo iban emplazando los últimos. Con palas formaban un borde de tierra de treinta centímetros alrededor de cada uno de ellos. Este borde defendía los pies de los sirvientes, que tenían el cuerpo resguardado por las mamparas blindadas de ambos lados de la pieza. Luego levantaban una cabaña de troncos y ramaje, dejando visible únicamente la boca del mortífero cilindro.

Don Marcelo se acostumbró poco a poco a los disparos, que parecían crear el vacío dentro de su cráneo. Rechinaba los dientes, cerraba los puños a cada detonación, pero seguía inmóvil, sin deseo de marcharse, dominado por la violencia de las explosiones, admirando la serenidad de estos hombres, que daban sus órdenes erguidos y fríos, o se agitaban como humildes sirvientes alrededor de las bestias tronadoras.

Todas sus ideas parecían haber volado, arrastradas por el primer cañonazo. Su cerebro sólo vivía el momento presente. Volvió los ojos con insistencia a la bandera blanca y roja que ondeaba sobre el edificio.

— Es una traición — pensó —, una deslealtad.

A lo lejos, del otro lado del Marne, tiraban igualmente los cañones franceses. Se adivinaba su trabajo por las pequeñas nubes amarillentas que flotaban en el aire, por las columnas de humo que surgían en varios puntos del paisaje, allí donde había ocultas tropas alemanas formando una línea que se perdía en el infinito. Una atmósfera de protección y respeto parecía envolver al castillo.

Se disolvieron las brumas matinales: el sol mostró al fin su disco brillante y limpio, prolongando en el suelo las sombras de hombres y árboles con una longitud fantástica. Surgían de la niebla colinas y bosques, frescos y chorreantes después de la ablución matinal. El valle quedaba por entero al descubierto. Desnoyers vió con sorpresa el río desde el lugar que ocupaba. El cañón había abierto durante la noche grandes ventanas en las arboledas que lo tenían oculto. Lo que más le asombró al contemplar este paisaje matinal, sonriente y pueril, fué no ver a nadie, absolutamente a nadie. Tronaban cumbres y arboledas, sin que se mostrase una sola persona. Más de cien mil hombres debían estar agazapados en el espacio que abarcaban sus ojos, y ni uno era visible. Los rugidos mortales de las armas al estremecer el aire no dejaban en él ninguna huella óptica. No había otro humo que el de la explosión, las espirales negras que elevaban los grandes proyectiles al estallar en el suelo. Estas columnas surgían de todos lados. Cercaban el castillo como una ronda de peonzas gigantescas y negras, pero ninguna se salía del ordenado corro osando adelantarse hasta tocar el edificio. Don Marcelo seguía mirando la bandera. « Es una traición », repitió mentalmente. Pero al mismo tiempo la aceptaba por egoísmo, viendo en ella una defensa de su propiedad.

El batallón había terminado de instalarse a lo largo del muro, frente al río. Los soldados, arrodillados, apoyaban sus fusiles en aspilleras y almenas. Se mostraban satisfechos de este descanso después de una noche de combate en retirada. Todos parecían dormidos con los ojos abiertos. Poco a poco se dejaban caer sobre los talones o buscaban el apoyo de la mochila. Sonaron ronquidos en los cortos espacios de silencio que dejaba la artillería. Los oficiales, de pie detrás de ellos, examinaban el paisaje con sus lentes de campaña o hablaban formando grupos. Unos parecían desalentados, otros furiosos por el retroceso que venían realizando desde el día anterior. Los más permanecían tranquilos, con la pasividad de la obediencia. El frente de batalla era inmenso: ¿ quién podía adivinar el final ? . . . Allí se retiraban y en otros puntos los compañeros estarían avanzando con un movimiento decisivo. Hasta el último instante ningún soldado conoce la suerte de las batallas. Lo que les dolía a todos era verse cada vez más lejos de París.

Don Marcelo vió brillar un redondel de vidrio. Era un monóculo fijo en él con insistencia agresiva. Un teniente flaco, de talle apretado, que conservaba el mismo aspecto de los oficiales que él había visto en Berlín, un verdadero *junker*, estaba a pocos pasos, sable en mano, detrás de sus hombres, como un pastor, sombrío y colérico.

— ¿ Qué hace usted aquí ? — dijo rudamente.

Explicó que era el dueño del castillo. « ¿ Francés ? », siguió preguntando el teniente. « Sí, francés . . . » Quedó el oficial en hostil meditación, sintiendo la necesidad de hacer algo contra este enemigo. Los gestos y gritos de otros oficiales le arrancaron a sus reflexiones. Todos miraban a lo alto, y el viejo les imitó.

Desde una hora antes pasaban por el aire pavorosos rugidos envueltos en vapores amarillentos, jirones de nube que parecían llevar en su interior una rueda chirriando con frenético volteo. Eran los proyectiles de la artillería gruesa germánica, que tiraba a varios kilómetros, enviando sus disparos por encima del castillo. No podía ser esto lo que interesaba a los oficiales. Contrajo sus párpados para ver mejor, y al fin, junto al borde de una nube, distinguió una especie de mosquito que brillaba herido por el sol. En los breves intervalos de silencio se oía el zumbido, tenue y lejano, denunciador de su presencia. Los oficiales movieron la cabeza: « *Franzosen.* » Desnoyers creyó lo mismo. No podía imaginarse las dos cruces negras en el interior de sus alas. Vió con el pensamiento dos anillos tricolores, iguales a los redondeles que colorean los mantos volantes de las mariposas.

Se explicaba la inquietud de los alemanes. El avión francés se había inmovilizado unos instantes sobre el castillo, no prestando atención a las burbujas blancas que estallaban debajo y en torno de él. En vano los cañones de las posiciones inmediatas le enviaban sus obuses. Viró con rapidez, alejándose hacia su punto de partida.

— Debe haberlo visto todo — pensó Desnoyers —. Nos ha *reparado:* sabe lo que hay aquí.

Adivinó que iba a cambiar rápidamente el curso de los sucesos. Todo lo que había ocurrido hasta entonces en las primeras horas de la mañana carecía de importancia comparado con lo que vendría después. Sintió miedo, el miedo irresistible a lo desconocido, y al mismo tiempo curiosidad, angustia, la impaciencia ante un peligro que amenaza y nunca acaba de llegar.

Una explosión estridente sonó fuera del parque, pero a corta distancia de la tapia: algo semejante a un hachazo gigantesco dado con un hacha enorme como su castillo. Volaron por el aire copas enteras de árboles, varios troncos partidos en dos, terrones negros con cabelleras de hierbas, un chorro de polvo que obscureció el cielo. Algunas piedras rodaron del muro. Los alemanes se encogieron, pero sin emoción visible. Conocían esto; esperaban su llegada, como algo inevitable, después de haber visto el aeroplano. La bandera con la cruz roja ya no podía engañar a los artilleros enemigos.

Don Marcelo no tuvo tiempo para reponerse de su sorpresa: una segunda explosión más cerca de la tapia . . . una tercera en el interior del parque. Le pareció que había saltado de repente a otro mundo. Vió los hombres y las cosas a través de una atmósfera fantástica que rugía, destruyéndolo todo con la violencia cortante de sus ondulaciones. Había quedado inmóvil por el terror, y sin embargo no tenía miedo. Él se había imaginado hasta entonces el miedo en distinta forma. Sentía en el estómago un vacío angustioso. Vaciló repetidas veces sobre sus pies, como si alguien le empujase dándole un golpe en el pecho para enderezarle acto seguido con un nuevo golpe en la espalda. Un olor de ácidos se esparció en el ambiente, dificultando la respiración, haciendo subir a los ojos el escozor de las lágrimas. En cambio, los ruidos cesaron de molestarle: no existían para él. Los adivinaba en el oleaje del aire, en las sacudidas de las cosas, en el torbellino que encorvaba a los hombres, pero no repercutían en su interior. Había perdido la facultad auditiva: toda la fuerza de sus sentidos se concentró en la mirada. Sus ojos parecieron adquirir múltiples facetas, como los de ciertos insectos. Vió lo que ocurría delante de su persona, a sus lados, detrás de él. Y presenció cosas maravillosas, instantáneas, como si todas las reglas de la vida acabasen de sufrir un trastorno caprichoso.

Un oficial que estaba a pocos pasos emprendió un vuelo inexplicable. Empezó a elevarse, sin perder su tiesura militar, con el casco en la cabeza, el entrecejo fruncido, el bigote rubio y corto, y más abajo el pecho color de mostaza, las manos enguantadas que sostenían unos gemelos y un papel. Pero aquí terminaba su individualidad. Las piernas grises con sus polainas habían quedado en el suelo, inánimes, como fundas vacías, expeliendo al deshincharse su rojo contenido. El tronco, en la violenta ascensión, se desfondaba como un cántaro, soltando su contenido de vísceras. Más allá unos artilleros que estaban derechos aparecían súbitamente tendidos e inmóviles, embadurnados de púrpura.

La línea de infantería se aplastó en el suelo. Los hombres se contraían, para hacerse menos visibles, junto a las aspilleras, por las que asomaban sus fusiles. Muchos se habían colocado la mochila sobre la cabeza o la espalda para que les defendiese de los cascos de obús. Si se movían era para amoldarse mejor en la tierra, buscando excavarla con su vientre. Varios de ellos habían cambiado de postura con una rapidez inexplicable. Ahora estaban tendidos de espaldas y parecían dormir. Uno tenía abierto el uniforme sobre el abdomen, mostrando entre los desgarrones de la tela carnes sueltas, azules y rojas, que surgían y se hinchaban con burbujeos de expansión. Otro había quedado sin piernas. Vió también ojos agrandados por la sorpresa y el dolor, bocas redondas y negras que parecían agitar los labios con un aullido. Pero no gritaban: al menos él no oía sus gritos.

Había perdido la noción del tiempo. No sabía si llevaba en esta inmovilidad varias horas o un minuto. Lo único que le molestaba era el temblor de las piernas, que se resistían a sostenerle . . . Algo cayó a sus espaldas. Llovían escombros. Al volver la cabeza vió su castillo transformado. Acababan de robarle medio torreón. Las pizarras se esparcían en menudos fragmentos; los sillares se desmoronaban; el cuadro de piedra de un ventanal se mantenía suelto y en equilibrio como un bastidor. Los maderos viejos de la caperuza empezaron a arder como antorchas.

La vista de este cambio instantáneo de su propiedad le impresionó más que los estragos causados por la muerte. Se dió cuenta del horror de las fuerzas ciegas e implacables que rugían en torno de él. La vida concentrada en sus ojos se esparció, descendiendo hasta sus pies . . . Y echó a correr, sin saber adónde ir, sintiendo la misma necesidad de ocultarse que experimentaban aquellos hombres encadenados por la disciplina, obligados a aplastarse en el suelo, a envidiar la blanda invisibilidad de los reptiles.

Su instinto le empujaba hacia el pabellón, pero en mitad de la avenida le cortó el paso otra de las asombrosas mutaciones. Una mano invisible acababa de arrancar de un revés la mitad de la techumbre. Todo un lienzo de pared se dobló, formando una cascada de ladrillos y polvo. Quedaron al descubierto las piezas interiores lo mismo que en una decoración de teatro: la cocina donde él había comido; el piso superior con el dormitorio, que aún conservaba deshecha su cama. ¡ Pobres mujeres ! . . .

Retrocedió, corriendo hacia el castillo. Se acordaba de la cueva donde había pasado encerrado una noche. Y cuando se vió bajo su bóveda sombría la tuvo por el mejor de los salones, alabando la prudencia de sus constructores.

El silencio subterráneo fué devolviéndole la sensibilidad auditiva. Escuchó como una tormenta amortiguada por la distancia el cañoneo de los alemanes y el estallido de los proyectiles franceses. Vinieron a su memoria los elogios que había prodigado al cañón de 75 sin conocerle más que por referencias. Ya había presenciado sus efectos. « Tira demasiado bien », murmuró. En poco tiempo iba a destrozar su castillo; encontraba excesiva tanta perfección . . . Pero no tardó en arrepentirse de estas lamentaciones de su egoísmo. Una idea tenaz como un remordimiento se había aferrado a su cerebro. Le pareció que todo lo que sufría era una expiación por la falta cometida en su juventud. Había evitado el servir a su patria, y ahora se encontraba envuelto en los horrores de la guerra, con la humildad de un ser pasivo e indefenso, sin las satisfacciones del soldado, que puede devolver los golpes. Iba a morir, estaba seguro de ello, con una muerte vergonzosa, sin gloria alguna, anónimamente. Los escombros de su propiedad le servirían de sepulcro. Y la certidumbre de la muerte en las tinieblas, como un roedor que ve obstruídos los orificios de su madriguera, comenzó a hacerle intolerable este refugio.

Arriba continuaba la tempestad. Un trueno pareció estallar sobre su cabeza, y a continuación el estrépito de un derrumbamiento. Un nuevo proyectil había caído sobre el edificio. Oyó rugidos de agonía, gritos, carreras precipitadas en el techo. Tal vez el obús, con su furia ciega, había despedazado a muchos de los moribundos que ocupaban los salones.

Temió quedar enterrado en su refugio, y subió a saltos la escalera de los subterráneos. Al pasar por el piso bajo vió el cielo a través de los techos rotos. De los bordes pendían trozos de madera, pedazos bamboleantes de pavimento, muebles detenidos en mitad de su caída. Pisó cascotes al atravesar el *hall*, donde antes había alfombras; tropezó con hierros rotos y retorcidos, fragmentos de camas llovidas de lo más alto del edificio; creyó distinguir miembros convulsos entre los montones de escombros; escuchó voces angustiosas que no podía comprender.

Salió corriendo, con la misma ansia de luz y de aire

libre que empuja al náufrago a la cubierta desde las entrañas del buque... Había transcurrido más tiempo del que él se imaginaba desde que se refugió en la obscuridad. El sol estaba muy alto. Vió en el jardín nuevos cadáveres en actitudes trágicas y grotescas. Los heridos gemían encorvados o permanecían en el suelo, apoyada la espalda en un árbol, con un mutismo doloroso. Algunos habían abierto la mochila para sacar su bolsa de sanidad y atendían a la curación de los desgarrones de su carne. La infantería disparaba ahora sus fusiles incesantemente. El número de tiradores había aumentado. Nuevos grupos de soldados entraban en el parque: unos con su sargento al frente, otros seguidos por un oficial que llevaba el revólver apoyado en el pecho, como si con él guiase a los hombres. Era la infantería, expulsada de sus posiciones junto al río, que venía a reforzar la segunda línea de defensa. Las ametralladoras unían su *tac-tac* de telar en movimiento al chasquido de la fusilería.

Silbaba el espacio, rayado incesantemente por el abejorreo de un enjambre invisible. Millares de moscardones pegajosos se movían en torno de Desnoyers sin que alcanzase a verlos. Las cortezas de los árboles saltaban, empujadas por uñas ocultas; llovían hojas; se agitaban las ramas con balanceos contradictorios; partían las piedras del suelo impelidas por un pie misterioso. Todos los objetos inanimados parecían adquirir una vida fantástica. Los cazos de cinc de los soldados, las piezas metálicas de su equipo, los cubos de la artillería, repiqueteaban solos, como si recibiesen una granizada impalpable. Vió un cañón acostado, con las ruedas rotas y en alto, entre muchos hombres que parecían dormir;

vió soldados que se tendían y doblaban la cabeza sin un grito, sin una contracción, como si los dominase el sueño instantáneamente. Otros aullaban arrastrándose o caminaban con las manos en el vientre sentados en el suelo.

El viejo experimentó una sensación aguda de calor. Un perfume punzante de drogas explosivas le hizo llorar y arañó su garganta. Al mismo tiempo tuvo frío: sintió su frente helada por un sudor glacial.

Tuvo que apartarse del puente. Varios soldados pasaban con heridos para meterlos en el edificio, a pesar de que éste caía en ruinas. De pronto recibió una rociada líquida de cabeza a pies, como si se abriese la tierra dando paso a un torrente. Un obús había caído en el foso levantando una enorme columna de agua, haciendo volar en fragmentos las carpas que dormían en el barro, rompiendo una parte de los bordes, convirtiendo en polvo la balaustrada blanca con sus jarrones de flores.

Se lanzó a correr con la ceguera del terror, viéndose de pronto ante un pequeño redondel de cristal que le examinaba fríamente. Era el *junker*, el oficial del monóculo. Volvía a caer en sus manos . . . Le señaló con el extremo de su revólver dos cubos que estaban a corta distancia. Debía llenarlos en la laguna y dar de beber a sus hombres, sofocados por el sol. El tono imperioso no admitía réplica, pero don Marcelo intentó resistirse. ¿ Él sirviendo de criado a los alemanes ? . . . Su extrañeza fué corta. Recibió un golpe de la culata del revólver en medio del pecho y al mismo tiempo la otra mano del teniente cayó cerrada sobre su rostro. El viejo se encorvó: quería llorar, quería perecer. Pero no derramó lágrimas ni la vida se escapó de su cuerpo ante esta afrenta, como era su deseo . . . Se vió con los dos cubos en las manos llenándolos en el foso, yendo luego a lo largo de la fila de hombres, que abandonaban el fusil para sorber el líquido con una avidez de bestias jadeantes.

Ya no le causaba miedo la estridencia de los cuerpos invisibles. Su deseo era morir: sabía que forzosamente iba a morir. Eran demasiados sus sufrimientos: en el mundo no quedaba espacio para él. Tuvo que pasar ante brechas abiertas en el muro por el estallido de los obuses. Ningún obstáculo impedía su visión por estas roturas. Vallas y arboledas se habían modificado o borrado con el fuego de la artillería. Distinguió al pie de la cuesta que ocupaba su castillo varias columnas de ataque que habían pasado el Marne. Los asaltantes estaban inmovilizados por el fuego nutrido de los alemanes. Avanzaban a saltos, por compañías, tendiéndose después al abrigo de los repliegues del terreno para dejar pasar las ráfagas de muerte.

El viejo se sintió animado por una resolución desesperada: ya que había de morir, que lo matase una bala francesa. Y avanzó erguido, con sus dos cubos, entre aquellos hombres acostados que disparaban. Luego, con súbito pavor, quedó inmóvil, hundiendo la cabeza entre los hombros, pensando que la bala que él recibiese representaba un peligro menos para el enemigo. Era mejor que lo matasen los alemanes . . . Y empezó a acariciar mentalmente la idea de recoger un arma de cualquiera de los muertos, cayendo sobre el *junker* que le había abofeteado.

Estaba llenando por tercera vez los cubos y contemplaba de espaldas al teniente, cuando ocurrió una cosa inverosímil, absurda, algo que le hizo recordar las fantásticas mutaciones del cinematógrafo. Desapareció de pronto la cabeza del oficial: dos surtidores de sangre saltaron de su cuello y el cuerpo se desplomó como un saco vacío. Al mismo tiempo un ciclón pasaba a lo largo de la pared, entre ésta y el edificio, derribando árboles, volcando cañones, llevándose las personas en remolino como si fuesen hojas secas. Adivinó que la muerte soplaba en una nueva dirección. Hasta entonces había llegado de frente, por la parte del río, batiendo la línea enemiga parapetada en la muralla. Ahora, con la brusquedad de un cambio atmosférico, venía del fondo del parque. Un movimiento hábil de los agresores, el uso de un camino apartado, tal vez un repliegue de la línea alemana, había permitido a los franceses colocar sus cañones en una nueva posición, batiendo de flanco a los ocupantes del castillo.

Fué una fortuna para don Marcelo el retardarse unos minutos al borde del foso, abrigado por la masa del edificio. La rociada de la batería oculta pasó a lo largo de la avenida, barriendo a los vivos, destrozando por segunda vez a los muertos, matando los caballos, rompiendo las ruedas de las piezas, haciendo volar un armón con llamaradas de volcán, en cuyo fondo rojo y azulado saltaban cuerpos negros. Vió centenares de hombres caídos; vió caballos que corrían pisándose las tripas. La siega de la muerte no había sido por gavillas: todo un campo quedaba liso con sólo un golpe de hoz. Y como si las baterías de enfrente adivinasen la catástrofe, redoblaron por su parte el fuego, enviando una lluvia de obuses. Caían por todos lados. Más allá del castillo, en el fondo del parque, se abrían cráteres en la arboleda que vomitaban troncos enteros. Los proyectiles sacaban de sus fosas a los muertos enterrados la víspera.

Los que no habían caído siguieron tirando por las aberturas del muro. Luego se levantaron con precipitación. Unos armaban la bayoneta pálidos, con los labios apretados y un brillo de locura en los ojos; otros volvían la espalda, corriendo hacia la salida del parque, sin prestar atención a los gritos de los oficiales y a los disparos de revólver que hacían contra los fugitivos.

Todo esto ocurrió con vertiginosa rapidez, como una escena de pesadilla. Al otro lado del muro sonaba un zumbido ascendente igual al de la marea. Oyó gritos, le pareció que unas voces roncas y discordantes cantaban la *Marsellesa*. Las ametralladoras funcionaban con velocidad, como máquinas de coser. El ataque iba a quedar inmovilizado de nuevo por esta resistencia furiosa. Los alemanes, locos de rabia, tiraban y tiraban. En una brecha aparecieron kepis rojos, piernas del mismo color intentando pasar sobre los escombros. Pero la visión se borró instantáneamente bajo la rociada de las ametralladoras. Los asaltantes debían caer a montones al otro lado de la pared.

Desnoyers no supo con certeza cómo se realizó la mutación. De pronto vió los pantalones rojos dentro del parque. Pasaban con un salto irresistible sobre el muro, se deslizaban por las brechas, venían del fondo de la arboleda por entradas invisibles. Eran soldados pequeños, cuadrados, sudorosos, con el capote desabrochado. Y revueltos con ellos, en el desorden de la carga, tiradores africanos con ojos de diablo y bocas espumeantes, zuavos de amplios calzones, cazadores de uniforme azul.

Los oficiales alemanes querían morir. Con el sable en alto, después de haber agotado los tiros de sus revólvers, avanzaban contra los asaltantes, seguidos de los soldados que aún les obedecían. Hubo un choque, una mezcolanza. Al viejo le pareció que el mundo había caído en profundo silencio. Los gritos de los combatientes, el encontrón de los cuerpos, la estridencia de las armas, no representaban nada después que los cañones habían enmudecido. Vió hombres clavados por el vientre en el extremo de un fusil, mientras una punta enrojecida asomaba por sus riñones; culatas en alto cayendo como martillos, adversarios que se abrazaban rodando por el suelo, pretendiendo dominarse con patadas y mordiscos. Desaparecieron los pechos de color de mostaza; sólo vió espaldas de este color huyendo hacia la salida del parque, filtrándose entre los árboles, cayendo en mitad de su carrera alcanzadas por las balas. Muchos de los asaltantes deseaban perseguir a los fugitivos y no podían, ocupados en desprender con rudos tirones su bayoneta de un cuerpo que la sujetaba en sus espasmos agónicos.

Se encontró de pronto don Marcelo en medio de estos choques mortales, saltando como un niño, agitando las manos, profiriendo gritos. Luego volvió a despertar, teniendo entre sus brazos la cabeza polvorienta de un oficial joven que le miraba con asombro. Tal vez le creía un loco al recibir sus besos, al escuchar sus palabras incoherentes, al recibir en sus mejillas una lluvia de lágrimas. Siguió llorando cuando el oficial se desprendió de él con rudo empujón . . . Necesitaba desahogarse después de tantos días de angustia silenciosa: ¡ Viva Francia !

Los suyos estaban ya en la entrada del parque. Corrían con la bayoneta por delante en seguimiento de los últimos restos del batallón alemán que escapaba hacia el pueblo. Un grupo de jinetes pasó por el camino. Eran dragones que llegaban para extremar la persecución. Pero sus caballos estaban fatigados; únicamente la fiebre de la victoria, que parecía transmitirse de los hombres a las bestias, sostenía su trote forzado y doloroso. Uno de estos jinetes se detuvo junto a la entrada del parque. El caballo devoró con avidez unos hierbajos, mientras el hombre permanecía encogido en la silla como si durmiese. Desnoyers lo tocó en una cadera, quiso despertarlo, e inmediatamente rodó por el lado opuesto. Estaba muerto; las entrañas colgaban fuera de su abdomen. Así había avanzado sobre su corcel, trotando confundido con los demás.

Empezaron a caer en las inmediaciones enormes peonzas de hierro y humo. La artillería alemana hacía fuego contra sus posiciones perdidas. Continuó el avance. Pasaron batallones, escuadrones, baterías, con dirección al Norte, fatigados, sucios, cubiertos de polvo y barro, pero con un enardecimiento que galvanizaba sus fuerzas casi agotadas. Los cañones franceses empezaron a tronar por la parte del pueblo.

Grupos de soldados exploraban el castillo y las arboledas inmediatas. De las habitaciones en ruinas, de las profundidades de las cuevas, de los matorrales del parque, de los establos y *garages* incendiados, iban surgiendo hombres verdosos con la cabeza terminada en punta. Todos elevaban los brazos, exhibiendo las manos bien abiertas: « *Kameraden . . . Kameraden, non kaputt.* » Temían, con la intranquilidad del remordimiento, que los matasen inmediatamente. Habían perdido de golpe toda su fiereza al verse lejos del oficial y libres de la disciplina. Algunos que sabían un poco de francés hablaban de su mujer y de sus hijos, para enternecer a los enemigos que les amenazaban con las bayonetas. Un alemán marchaba junto a Desnoyers, pegándose a sus espaldas. Era el sanitario barbudo. Se golpeaba el pecho y luego le señalaba a él. « *Franzosen* . . . gran amigo de *Franzosen.* » Y sonreía a su protector.

Permaneció en su castillo hasta la mañana siguiente. Vió la inesperada salida de Georgette y su madre de las profundidades del pabellón arruinado. Lloraban al contemplar los uniformes franceses.

— Esto no podía seguir — gimió la viuda —. ¡ Dios no muere !

Las dos empezaban a dudar de la realidad de los días anteriores.

Después de una mala noche pasada entre escombros, don Marcelo decidió marcharse. ¿ Qué le quedaba que hacer en este castillo destrozado ? . . . Le estorbaba la presencia de tanto muerto. Eran cientos, eran miles. Los soldados y los campesinos iban enterrando los cadáveres a montones allí donde los encontraban. Fosas junto al edificio, en todas las avenidas del parque, en los arriates de los jardines, dentro de las dependencias. Hasta en el fondo de la laguna circular había muertos. ¿ Cómo vivir a todas horas con esta vecindad trágica, compuesta en su mayor parte de enemigos ? . . . ¡ Adiós, castillo de Villeblanche !

Emprendió el camino de París; se proponía llegar a él fuese como fuese. Encontró cadáveres por todas partes: pero éstos no vestían el uniforme verdoso. Habían caído muchos de los suyos en la ofensiva salvadora. Muchos caerían aún en las últimas convulsiones de la batalla que continuaba a sus espaldas, agitando con un trueno incesante la línea del horizonte . . . Vió pantalones de grana que emergían de los rastrojos, suelas claveteadas que brillaban en posición vertical junto al camino, cabezas lívidas, cuerpos amputados, vientres abiertos que dejaban escapar hígados enormes y azules, troncos separados, piernas sueltas. Y desprendiéndose de esta amalgama fúnebre, kepis rojos y obscuros, gorros orientales, cascos con melenas de crines, sables retorcidos, bayonetas rotas, fusiles, montones de cartuchos de cañón. Los caballos muertos abullonaban la llanura con sus costillares hinchados. Vehículos de artillería con las maderas consumidas y el armazón de hierro retorcido revelaban el trágico momento de la voladura. Rectángulos de tierra apisonada marcaban el emplazamiento de las baterías enemigas antes de retirarse. Encontró cañones volcados con las ruedas rotas, armones de proyectiles convertidos en madejas retorcidas de barras de acero, conos de materia carbonizada que eran residuos de hombres y caballos quemados por los alemanes en la noche anterior a su retroceso.

A pesar de estas incineraciones bárbaras, los cadáveres de una y otra parte eran infinitos, no tenían límite. Parecía que la tierra hubiese vomitado todos los cuerpos que llevaba recibidos desde los primeros tiempos de la humanidad. El sol, impasible, poblaba de puntos de luz, de fulgores amarillentos, los campos de muerte. Los pedazos de bayoneta, las chapas metálicas, las cápsulas de fusil centelleaban como pedazos de espejo. La noche húmeda, la lluvia, el tiempo oxidador, no habían modificado aún con su acción corrosiva estos residuos del combate, borrando su brillo. La carne empezaba a descomponerse. Un hedor de cementerio acompañaba al caminante, siendo cada vez más intenso así como avanzaba hacia París. Cada media hora le hacía pasar a un nuevo círculo de podredumbre creciente, descender un peldaño en la descomposición animal. Al principio los muertos eran del día anterior: estaban frescos. Los que encontró al otro lado del río llevaban dos días sobre el terreno; luego tres, luego cuatro. Bandas de cuervos se levantaban con perezoso aleteo al oír sus pasos; pero volvían a posarse en tierra, repletos, pero no ahitos, habiendo perdido todo miedo al hombre.

De tarde en tarde encontraba grupos vivientes. Eran pelotones de caballería, gendarmes, zuavos, cazadores. Vivaqueaban en torno de las granjas arruinadas, explorando el terreno para cazar a los fugitivos alemanes. Desnoyers tenía que explicar su historia, mostrando el pasaporte que le había dado Lacour para hacer su viaje en el tren militar. Sólo así pudo seguir adelante. Estos soldados — muchos de ellos heridos levemente — estaban aún bajo la impresión de la victoria. Reían, contaban sus hazañas, los grandes peligros arrostrados en los días anteriores. « Los vamos a llevar a puntapiés hasta la frontera . . . » Su indignación renacía al mirar en torno de ellos. Los pueblos, las granjas, las casas aisladas, todo quemado. Como esqueletos de bestias prehistóricas se destacaban sobre la llanura muchos armazones de acero retorcidos por el incendio. Las chimeneas de ladrillo de las fábricas estaban cortadas casi a ras de tierra o mostraban en sus cilindros varios orificios de obús limpios y redondos. Parecían flautas pastoriles clavadas en el suelo.

Junto a los pueblos en ruinas las mujeres removían la tierra abriendo fosas. Este trabajo resultaba insignificante. Se necesitaba un esfuerzo inmenso para hacer desaparecer tanto muerto. « Vamos a morir después de la victoria — pensó don Marcelo —. La peste va a cebarse en nosotros. »

El agua de los arroyos no se había librado de este contagio. La sed le hizo beber en una laguna, y al levantar la cabeza vió unas piernas verdes que emergían de la superficie líquida, hundiendo sus botas en el barro de la orilla. La cabeza de un alemán estaba en el fondo del charco.

Llevaba varias horas de marcha, cuando se detuvo, creyendo reconocer una casa en ruinas. Era la taberna donde había almorzado días antes, al dirigirse a su castillo. Penetró entre los muros hollinados, y un enjambre de moscas pegajosas vino a zumbar en torno de su cara. Un hedor de grasa descompuesta por la muerte arañó su olfato. Una pierna que parecía de cartón chamuscado asomaba entre los escombros. Creyó ver otra vez a la vieja con los nietos agarrados a sus faldas. « Señor, ¿ por qué huyen las gentes ? La guerra es asunto de soldados. Nosotros no hacemos mal a nadie y nada debemos temer. »

Media hora después, al bajar una cuesta, tuvo el más inesperado de los encuentros. Vió un automóvil de alquiler, un automóvil de París con su taxímetro en el pescante. El chófer se paseaba tranquilamente junto al vehículo, como si estuviese en su punto de parada.

No tardó en entablar conversación con este señor que se le aparecía roto y sucio como un vagabundo, con media cara lívida por la huella de un golpe. Había traído a unos parisienses que deseaban ver el campo del combate. Eran de los que escriben en los periódicos: los aguardaba allí para regresar al anochecer.

Don Marcelo hundió la diestra en un bolsillo. Doscientos francos si le llevaba a París. El chófer protestó con la gravedad de un hombre fiel a sus compromisos . . . « Quinientos. » Y mostró un puñado de monedas de oro. El otro por toda respuesta dió una vuelta a la manivela del motor, que empezó a roncar. Todos los días no se daba una batalla en las inmediaciones de París. Sus clientes podían esperarle.

Y Desnoyers, dentro del vehículo, vió pasar por las portezuelas este campo de horrores en huída vertiginosa para disolverse a sus espaldas. Rodaba hacia la vida humana . . . volvía a la civilización.

Al entrar en París, las calles solitarias le parecieron llenas de gentío. Nunca había encontrado tan hermosa la ciudad. Vió la Opera, vió la plaza de la Concordia, se imaginó estar soñando al apreciar el enorme salto que había dado en una hora. Comparó lo que le rodeaba con las imágenes de poco antes, con aquella llanura de muerte que se extendía a unos cuantos kilómetros de distancia. No: no era posible. Uno de los dos términos de este contraste debía ser forzosamente falso.

Se detuvo el automóvil: había llegado a la avenida Víctor Hugo . . . Creyó seguir soñando. ¿ Realmente estaba en su casa ? . . .

El majestuoso portero le saludó asombrado, no pudiendo explicarse su aspecto de miseria. ¡ Ah, señor ! . . . ¿ De dónde venía el señor ?

— Del infierno — murmuró don Marcelo.

Su extrañeza continuó al verse dentro de su vivienda,

recorriendo las habitaciones. Volvía a ser alguien. La vista de sus riquezas, el goce de sus comodidades le devolvieron la noción de su dignidad. Al mismo tiempo fué resucitando en su memoria el recuerdo de todas las humillaciones y ultrajes que había sufrido. ¡ Ah, canallas ! . . .

Dos días después sonó por la mañana el timbre de su puerta. ¡ Una visita !

Avanzó hacia él un soldado, un pequeño soldado de infantería de línea, tímido, con el kepis en la diestra, balbuceando excusas en español.

— He sabido que estaba usted aquí . . . Vengo a . . .

¿ Esta voz ? . . . Don Marcelo tiró de él en el obscuro recibimiento, llevándole hacia un balcón . . . ¡ Qué hermoso le veía ! . . . El kepis era de un rojo obscurecido por la mugre; el capote, demasiado ancho, estaba rapado y recosido; los zapatones exhalaban un hedor de cuero. Nunca había contemplado a su hijo tan elegante y apuesto como lo estaba ahora con estos residuos de almacén.

— ¡ Tú ! . . . ¡ tú ! . . .

El padre le abrazó convulsivamente, gimiendo como un niño, sintiendo que sus pies se negaban a sostenerle. Siempre había esperado que acabarían por entenderse. Tenía su sangre: era bueno, sin otro defecto que cierta testarudez. Le excusaba ahora por todo lo pasado, atribuyéndose a sí mismo gran parte de culpa. Había sido demasiado duro.

— ¡ Tú soldado ! — repitió —. ¡ Tú defendiendo a mi país, que no es el tuyo ! . . .

Y volvía a besarle, retrocediendo luego unos pasos para apreciar mejor su aspecto. Decididamente le encontraba más hermoso en su grotesco uniforme que cuando era célebre por sus elegancias de danzarín, amado de las mujeres.

Acabó por dominar su emoción. Sus ojos, llenos de lágrimas, brillaron con maligno fulgor. Un gesto de odio crispaba su rostro.

— Ve — dijo simplemente —. Tú no sabes lo que es esta guerra; yo vengo de ella, la he visto de cerca. No es una guerra como las otras, con enemigos leales: es una cacería de fieras . . . Tira sin escrúpulo contra el montón. Por cada uno que tumbes, libras a la humanidad de un peligro.

Se detuvo unos instantes como si dudase, y añadió al fin con trágica calma:

— Tal vez encuentres frente a ti rostros conocidos. La familia no se forma siempre a nuestro gusto. Hombres de tu sangre están al otro lado. Si ves a alguno de ellos . . . no vaciles, ¡ tira ! es tu enemigo. ¡ Mátalo ! . . . ¡ mátalo !

NOTES

Page vii. — 7. These masters of the Spanish Novel flourished in the second half of the nineteenth century. The chief work of Juan Valera (1824–1905) is *Pepita Jiménez*, 1874; of José María de Pereda (1833–1906) *Sotileza*, 1884, and *Peñas arriba*, 1895; of Clarín, pseudonym for Leopoldo Alas (1852–1901), *La Regenta*, 1884; of Armando Palacio Valdés (b. 1853) *La hermana San Sulpicio*, 1889; of Benito Pérez Galdós (1845–1920) *Doña Perfecta*, 1876, *Marianela*, 1878, and *Ángel Guerra*, 1891.

Page 1. — 2. **guerra franco-prusiana de 1870.** On July 19, 1870, France, under the rule of the emperor Napoleon III, declared war on Germany. The immediate cause of the war was the differences between the two countries produced by the opposition of France to the occupation of the Spanish throne, — left vacant by the revolution of 1868 in which Isabel II was expelled, and by the abdication of the new king, Amadeo of Savoy, — by Prince Leopold of Hohenzollern. The war was of brief duration. France was so disorganized that two months after the outbreak of the war, on September 1, in the battle of Sedan, the principal part of her army was forced to surrender, and all its men, including the Emperor, were taken prisoners. The republican government of National Defense was then set up, and France continued the war five months longer until Paris, worn out by a long siege, was forced to capitulate on the 28th of January, 1871.

10. We have left unaccented, as they appeared in the original edition, all the German proper nouns except *Berlín*. We feel that foreign geographic names and personal nouns should be accented when they have acquired patents of naturalization in the Spanish language and a Spanish pronunciation (at times coincident with and at times varying from that of the country of their origin). Thus *Berlín*, *París* are no less Spanish than *Londres* (London), *Brujas* (Bruges) *Aquisgrán* (Aix-la-Chapelle). *Renán*, a name of general usage, is accented, while *Hugo*, *Zola*, which in Spanish custom

are stressed on the first syllable, do not bear the accent on the last syllable as they should if they were pronounced as in French. On the other hand, foreign names that have not entered into general usage in Spanish should retain their foreign pronunciation, and, therefore, not be accented in any way that would alter their character. This is the usage generally observed among the educated classes, in spite of the rules of the Academy.

21. **emigrantes.** Blasco Ibáñez, thinking from the European point of view, calls *emigrantes* those who, more correctly, should be called *inmigrantes*.

Page 2. — 1. **Rosas.** Juan Manuel Rosas was born in Buenos Aires in 1793 and died in England in 1877. From 1829, the year in which he was named Governor of the Republic, until 1852 when he was overthrown by a revolution, he was the absolute dictator of the Argentine Confederation. When he assumed office in 1829, in a proclamation addressed to the people he spoke as follows: "*Me habéis elegido para gobernar según mi ciencia y mi conciencia: obedezco. Sabéis hoy que las teorías democráticas son peligrosas utopías que conducen a la servidumbre. Mi convicción será mi guía, hacerla prevalecer será mi deber y el vuestro ejecutarla.*" The deeds and the character of this dictator have been very differently judged by the historians.

12. **gallegas** here probably means 'Spaniards.' Spanish immigrants are usually called *gallegos* in South America because of the fact that the immigration of the nineteenth century has been chiefly from Galicia, a region in the northwest of Spain.

28. **a todos les llega su parte,** literally, *to all arrives their part;* freely, *each one gets his share.*

29. *La* is frequently used to indicate something not clearly expressed, but still definitely implied in the meaning of the verb, *cosa* or a similar word being understood. Thus, with the verb *armar*, it conveys the idea of 'trouble,' 'mix-up' or some similar concept. *La que se armaría* may be translated 'What would happen . . . !' What is the difference between *la que* here and *lo que* in page 58. — 19?

Page 3. — 2. **tranquilo** equivalent to *tranquilamente;* adjective used as adverb.

20. **y**; as the phrase is negative it would be more natural to say *ni*.

29. **sus hijos mozos,** *sus hijos* (*cuando eran*) *mozos*, 'his children now grown-up.'

Page 4. — 22. Some say *la Marne* making the name of the river feminine as in French. But in Spanish the names of the rivers are masculine, as *el Ebro*, *el Sena* (Seine), *el Támesis* (Thames).

Page 5. — 8. **de segunda,** *de segunda clase.* The trains in France as in Spain are of three classes; thus one speaks of *coches de primera*, *de segunda*, and *de tercera* meaning first, second, and third class cars.

Page 6. — 27. **su** refers to *regimientos* and not to *operaciones*.

31. **Cada vez hacía el tren un trayecto menor.** This indicates the continued retreat of the French army.

Page 7. — 25. **Villeblanche.** This is an imaginary village. There are several Villeblanche in France, but none on the banks of the Marne.

Page 8. — 9. **abullonar** is not given in the dictionaries. Doubtless it is a popular form of *abollonar* which comes from *bollón*, augmentative of *bollo* which in turn produces the verb *abollar*. All these concrete words contain the general idea of something swollen, heaped-up, prominent. Thus the special significance of *abollonar* is 'emboss.' Blasco Ibáñez uses *abullonar* several times in the text to indicate different forms of prominence or unevenness on a surface, on the model of *bullón* which form is likewise used instead of *bollón* to signify such prominences.

Page 9. — 21. **seguía,** *followed with her eyes; watched.*

22. **duraba.** The imperfect indicative has the force of the English pluperfect when used with an expression of time which denotes a continuance of action or state; that is to say, the procession *had lasted* three days, and had not yet ended.

Page 10. — 4. **¿qué podían hacerles?** Grammatically this phrase is ambiguous, since either *ellos* or *los prusianos* could be either subject or object. But from the sense it is clear that *los prusianos* is the subject and *les* refers to the inhabitants.

8. **unas.** Although here referring to a definite noun, *unas* is used with the meaning of the indefinite article, because the noun is followed by a limiting expression. In English it is to be translated by *the*, *those*, or *the very houses*.

Page 12. — 13. **¡Que viniesen los enemigos!** 'let the enemy come!' *¡Que vengan los enemigos!* would be translated just the same in English. Nevertheless, there is a difference between the two phrases in Spanish. The latter, using the present subjunctive, expresses merely a desire; the former, using the imperfect subjunctive, expresses the doubt and improbability of accomplishment. The difference can be seen more clearly by the use of the correlatives: *¡Que vengan los enemigos, si quieren; yo me defenderé! ¡Que viniesen los enemigos, si querían; yo me defendería!*

15. **al arrancarle la razón de su delirio.** When the infinitive preceded by *al* is used to express the time of the action, it is usually placed before its subject. Translate, *when reason brought him out of his frenzy.*

19. **La mañana siguiente la pasó.** When the object-noun precedes the verb, a corresponding personal pronoun representing the object is usually employed.

Page 13. — 8. **de provincias.** In France, as in Spain, there is a clear distinction between the capital and the provinces, that is to say, between Paris or Madrid and the rest of the country. Thus one says: *en provincias no se vive como en Madrid.*

14. **Madeleine-Bastille, Passy-Bourse.** These are omnibus routes in Paris, running between the Place of the Madeleine and the Bastille, and between the suburb of Passy and the Bourse.

Page 15. — 6. **fué** from verb *ser.*

27. *de* is not translated. In Spanish *de* would be necessary if *andar* depended on *orden: la orden de andar* 'the order to march'; but in this case, as *andar* comes after *era*, it could just as well be omitted.

Page 16. — 3. **oficial . . . jefes.** This distinction between *oficiales* and *jefes* is due to the fact that in the French as in the Spanish army the lieutenants and captains are called *oficiales*, and the officers of superior rank *jefes*. To indicate the whole body of officers of the army one says *los jefes y oficiales*.

Page 17. — 3. **más tenaz que el de** refers to *frote*.

Page 19. — 7. **el 70** = *el año 1870*. See page 1. — 2.

13. **Joffre** was the commander-in-chief of the French army from the outbreak of hostilities until 1916. He is credited with the victory of the Marne. He was born in 1852 in Rivesaltes (East Pyrenees). In 1870 he was a student at the École Polytechnique and took part in the defense of Paris, with the rank of second lieutenant. He saw service in Indo-China, Soudan and Madagascar. In 1916 he was made Marshal of France.

20. **lo**; see page 12. — 19.

24. **fueron botellas . . . lo que entregó,** *it was bottles . . . that he gave.* The neuter pronoun is used instead of *las que* as the emphasis is less on the kind than on the general idea of the gifts donated.

Page 22. — 22. **admirado de,** *admiring, surprised at.*

26. **sólo . . . dragones,** *they were only waiting for the dragoons to retreat to blow it up. Esperar* used with *a* means 'wait for'; used without the preposition, 'expect, hope.' *Esperaban que se retirasen* 'they expected them to retreat'; *esperaban a que se retirasen* 'they were waiting for them to retreat.'

Page 24. — 3. **con él** = *consigo.*

Page 26. — 27. The subject of **se dispersó** and of all this sentence is *el escuadrón* of line 18.

Page 31. — 22. **descuidados**; see page 3. — 2.

Page 34. — 6. **cuñados,** '*brother-in-law and sister-in-law.*' The masculine plural in Spanish comprehends both genders: *hijos*, 'sons and daughters'; *padres*, 'father and mother'; *los viejos*, 'old men and women,' etc.

32. **Santo Graal**; the Holy Grail was the name given to the plate or cup used by Christ at the Last Supper. It is the subject of many of the medieval legends. According to some of these, the cup, of remarkable miraculous power, was in the custody of a group of knights who guarded it on the summit of a mountain.

Because of the sins of its keepers, it disappeared, and its discovery was undertaken by the most famous knights of medieval legend. According to tradition it could be found only by a knight free from all sin.

Page 35. — 17. **la hazaña de Sedán**; see page 1. — 2. The exploit of Sedan was the enveloping of one of the three French armies, cutting off its retreat, and forcing it to surrender with all its men, including the emperor, Napoleon III. The final battle took place in the city of Sedan on September 1, 1870, and the treaty of surrender was signed on September 2. In October, 1918, the American Expeditionary Force advanced on Sedan, threatening the retreating German armies, shortly before the armistice of November 11, which ended the World War.

20. In the same line Blasco Ibáñez writes *restaurants*, retaining the French spelling, and *champañ*, written according to the Spanish pronunciation. In consistence with the latter criterion he should have written *restoráns* or *restoranes* as it is usually pronounced in Spanish. Some writers make the words entirely Spanish, writing *restaurantes* and *champaña*.

23. **Cruzada**; the Crusades were the various expeditions made in the twelfth and thirteenth centuries by the Christian nations for the purpose of wresting Jerusalem and the Holy Land from the Saracens.

24. ***Nach Paris*** = *A París*.

Page 38. — 13. The subject of **seguía** is *incendio*.

23. **asomando** refers to *las piernas*, 'and showed through.'

Page 39. — 6. **cápsulas óseas** here means 'skulls.'

32. **unos**, emphatic use of the indefinite pronoun. Translate, *nothing but, altogether*.

Page 41. — 30. **¡ A muerte . . . !** In Spanish it is more natural to say *¡ Muera . . . !*

Page 44. — 21. **todo un trabajo**; the use here of *un* instead of *el* lays emphasis on the phrase. How is it translated? What would be the meaning here of *todo el trabajo?*

28. **sus ventanas abiertas dejaban ver,** *through the open windows could be seen . . .*

Page 46. — 19. **que lo invadía todo.** When the neuter pronoun *todo* precedes the verb as its direct object, *lo* must be used with it. When however *todo* follows the verb as in this instance, the use of *lo* is optional. See also page 47. — 19, *examinándolo todo.* What is the rule for the position of *lo?*

Page 49. — 20. **Por su culpa se veía él allí.** *It was on its account that he was there.*

Page 51. — 28. **habrían;** conditional used to indicate conjecture or probability in the past.

Page 52. — 20. **su madre;** the mother of Otto was the sister of Desnoyers' wife. She was visiting her sister in Paris when the war broke out, and had gone to the southern coast with her when the civilians of Paris left before the menace of the German invasion.

Page 55. — 22. **Lacour.** This is the name of one of Desnoyers' close friends, whose son Don Marcelo's daughter Chichí later marries.

Page 56. — 19. **a continuación . . .,** at the end of his hand, that is to say, the wrist.

Page 57. — 3. **Los caprichos de Sherazada;** possibly a reference to the symphonic suite *Scheherazade* by the Russian composer Rimsky-Korsakoff which, written in 1888, became later the score of a ballet. Its subject matter is based on the story of the *Thousand and One Nights* in which Scheherazade is the main story-teller.

Page 58. — 19. **¡Lo que me ha perjudicado la guerra!** *How the war has hurt me!* see page 2. — 29.

Page 59. — 8. **se vencían . . . terminaba;** the imperfect here has the force of the conditional.

Page 60. — 4. ***Bitte nicht plündern. Es sind freundliche Leute.*** Three lines further down the translation is given. *Se ruega,* in which the verb with *se* has a passive meaning, is the usual formula in advertisements. There is a great difference between *amable* 'kind,' 'amiable' and *amiga* 'friendly,' 'well-disposed.'

Page 62. — 16. **de provincia** indicates the provincial character or the fact of being from a province, while *de provincias* (see page 13. — 8) expresses more emphatically the contrast with the capital. One says of a person who comes to Madrid from another city *viene de provincias*, not *viene de provincia*.

Page 63. — 18. ***Frau Kommandeur, Fräulein Kommandeur.*** In Germany a man's wife and daughters assume his titles.

Page 64. — 20. **El haberse alojado en ellos . . . el general,** *the fact that the General had stayed in them.* Perfect infinitive used as a verbal noun. When the infinitive is used as the subject of a verb (here *había librado*), it is frequently preceded by the article.

Page 65. — 2. **mueblaje Luis XV,** furniture of the style used in France during the reign of Louis XV (1715–1774).

Page 66. — 5. **bullones;** see page 8. — 9.

7. ***rue de la Paix,*** street of Paris famous for its fashionable shops and dress-making establishments.

Page 68. — 31. **Social-Democracia;** built on the teachings of Karl Marx, the Social-Democratic Labor Party in Germany became before the World War numerically the most important party in the German House of Deputies. The conclusion of the war found it in charge of the government of the German Federal Republic, the successor of the German Empire.

Page 69. — 1. ***junkers;*** members of the landed gentry of Prussia who after the unification of Germany became the dominating force in the Empire. They were noted for their reactionary and imperialistic spirit.

7–9. **sería . . . habría;** see page 51. — 28.

Page 70. — 2. **Charleroi.** One of the first battles of the war took place here in August, 1914. The French and Belgian troops attempted to stem the German invasion, but in vain. This battle marked the beginning of the great retreat of the Allies just before the victory of the Marne.

Page 74. — 27. **le creía menor de veinte años** = *creía que tenía menos de veinte años.*

29. **Y aunque los tuviera** = *y aunque tuviera veinte años.*

Page 75. — 15. **color rosa** = *color de rosa.*

28. **dejaba visible**; see page 44. — 28.

Page 76. — 19. **lanzarlo**; the pronoun repeats the object of the verb, *grito*, because this precedes the verb. See page 12. — 19.

29. **Lo . . . le.** Blasco Ibáñez ordinarily uses the form *lo* in the accusative, even when referring to persons, in which case the Castilians prefer *le.* Here we have an example, repeated again further on, page 77. — 6, of the use of the two forms, depending on the position they occupy with regard to the verb: *lo* preceding, and therefore stressed, and *le* following it, hence unstressed.

Page 79. — 22. **La** refers to *la hija.*

Page 84. — 7. **lo había destruído todo**; see page 46. — 19.

14. **cuando navegaba por los mares infinitos de tierra**; the seemingly endless stretch of the Argentine *pampas* does in reality give the sensation of the ocean which the author here suggests.

Page 90. — 5. **amasar** in Spanish means just 'knead' and from this has the derived meanings 'prepare,' 'handle.' This last conception might do for this phrase in the text, but it would seem that Blasco Ibáñez has given the word here the significance of the French *amasser* and the English *amass.*

Page 92. — 17. **del siguiente,** i.e. *día.*

Page 93. — 8–11. A metaphorical description of the situation of the German army.

Page 94. — 21. **75** in Spanish as in English and French is the name of the famous field gun of 75 millimeters (3 inches) used by the French and later by the American army. Its inventors were two French artillery officers.

21. **se** is a dative used very frequently in idiomatic Spanish to give a certain intensity to the phrase, but which can be suppressed in Spanish, and need not be translated in English. See four lines below, *sacándose*.

Page 99. — 30. **estarían;** see page 51. — 28.

Page 100. — 16. **pasaban;** see page 9. — 22.

29. **dos cruces negras;** two black crosses on the wings were the distinguishing mark of the German aeroplanes. That of the Allies was two tricolored rings (*dos anillos tricolores*) similarly situated.

Page 101. — 9. ***reparado;*** this is in italics because it is a colloquial meaning of the word. The word is given in its correct meaning in the Vocabulary, but here it is equivalent to the American slang phrases 'catch on to,' 'get wise to,' 'spot.' Cf. the French military term *repérer* 'to locate.'

Page 102. — 1. **destruyéndolo todo;** see page 46. — 19.

Page 106. — 20. **silbaba el espacio, rayado . . . invisible.** The author describes the auditory sensation caused by the passing of the bullets through space. The endless grating, *rayado*, of the piercing balls resembles the constant drone of a beehive. Translate freely, *Pierced by an endless rain of bullets, the air resounded as if with the buzz of an unseen beehive.*

Page 108. — 10. **su visión;** the phrase is ambiguous, for *visión* signifies the act of seeing and what one sees. Here undoubtedly the meaning is 'no obstacle prevented Don Marcelo's being seen through these breaks.'

Page 112. — 31. ***Kameraden, non kaputt,*** 'Comrades, do not kill us'; *kaputt* is a German colloquialism denoting 'to be broken,' 'smashed,' 'done for.' The adjective here is elliptically used as a verb by the German soldiers, who may or may not have felt that *kaputt* is a German loanword from the French *capot* 'to be bested (at cards),' 'to be capotted.'

Page 114. — 13. **abullonar;** see page 8. — 9.

Page 115. — 19. **Lacour;** see page 55. — 22.

Page 118. — 14. **¡ Qué hermoso le veía!** *How handsome he seemed to him!*

24–28. This refers to earlier episodes of the novel, dealing with quarrels between Desnoyers and his son because of the latter's conduct.

VOCABULARY

A

a to, at, by, on, upon, in, for, with, from, under, according to; *not translated before personal direct object*
abajo down; **escalera —** down the stairs; **más —** further down
abandonar abandon, leave, let go
abandono *m.* abandon, abandonment, neglect
abarcar encompass, embrace
abarrotar crowd, jam
abdomen *m.* abdomen
abejorreo *m.* buzzing
abertura *f.* aperture, opening
abierto *see* **abrir**
ablución *f.* ablution, bath
abofetear slap
abollado, -a dented
abovedado, -a arched, vaulted
abrazar embrace, clasp
abrevar water
abrigado, -a protected, sheltered
abrigo *m.* shelter, protection
abrir open; **-se** open
abrumador, -a overwhelming
abrumar overwhelm
absolutamente absolutely
absorber absorb, swallow up
abstinencia *f.* abstinence
absurdo, -a absurd
abuelo *m.* grandfather; **el — Joffre** "Papa" Joffre
abultamiento *m.* bulk, mass, size
abullonar emboss, form mounds on, cover with mounds
abundancia *f.* abundance
abundantemente abundantly, copiously
aburrido, -a bored, weary
abusar de abuse, take advantage of
acabar end, finish; **— por** end by; **— de** + *inf.* have just . . . ; **-se** end, finish; **nunca acaba de llegar** never arrives; **con cuya hija acabó por casarse** whose daughter he finally married
acampar camp
acantonamiento *m.* cantonment
acantonar quarter
acaparar monopolize, appropriate
acariciar caress
acarreado, -a hauled
accesible accessible
acción *f.* action
aceite *m.* oil
aceleradamente hastily
acelerado, -a quickened
acento *m.* accent
aceptar accept
acerca de about, concerning
acercarse approach

acero *m.* steel
ácido *m.* acid
acoger receive
acogida *f.* acceptance, reception
acomodado, -a wealthy, well-to-do
acomodar adjust, fit
acompañamiento *m.* accompaniment
acompañante *m. and f.* companion, attendant
acompañar accompany, be with
acompasado,-a measured, regular
aconsejar advise
acontecimiento *m.* happening, event
acordarse de remember
acordeón *m.* accordion
acosar harass, molest
acostado, -a lying down; tilted over
acostumbrar be accustomed; **-se** grow accustomed
actitud *f.* attitude, posture
actividad *f.* activity
acto *m.* act; — **seguido** immediately afterwards
actual actual, present
actuar act, serve
acuático, -a aquatic
acudir a come to
acumular accumulate
acusar accuse
achatado, -a flat
adelantarse advance, get ahead of, proceed
adelante ahead, forward, onward; **en** — henceforth
ademán *m.* gesture
además besides, moreover
adentro within, inside
adiós good-bye, farewell
adiposidad *f.* fat, adipose tissue
adivinación *f.* divination
adivinar guess, divine, conjecture, feel
administración *f.* administration
admirable admirable
admiración *f.* admiration
admirar admire; **-se de** marvel at, wonder at; **admirado de** surprised at
admirativamente admiringly
admitir admit, allow; admit of
adonde where
adopción *f.* adoption
adoptar adopt, take
adorador *m.* worshipper
adorar adore
adormecido, -a asleep, dozing
adornar adorn, decorate
adquirir acquire
adversario *m.* adversary
aeroplano *m.* aeroplane
afecto *m.* affection
afectuoso, -a affectionate
afeitar shave
aferrarse take hold of, fasten itself
afinado, -a sharpened
afirmación *f.* statement, affirmation
afirmar affirm, assert
afortunadamente fortunately
afrenta *f.* affront, outrage
África *f.* Africa
africano, -a African
afueras *f. pl.* outskirts
agarrar clutch, grasp, catch hold
agazapado, -a crouched, hidden, concealed
agilidad *f.* agility

agitación *f.* agitation, movement
agitado, -a agitated
agitar agitate, move, wave
agolparse gather, rush
agonía *f.* death-agony
agónico, -a dying
agonizante *m. and f.* dying
agonizante agonized, half-dead
agonizar be in the death agony
agosto *m.* August
agotar exhaust, wear out, use up
agraciado, -a graced
agradar please
agradecer thank, be grateful
agrandar enlarge
agregar add; **-se** join
agresividad *f.* aggressiveness
agresivo, -a aggressive
agresor *m.* attacker
agricultor *m.* farmer
agrupado, -a grouped together, united
agruparse gather, form a group, form groups
agua *f.* water; **—s muertas** motionless waters
aguardar await, wait for
agudo, -a sharp, acute
aguijoneado, -a goaded, pricked on
agujero *m.* hole
¡ ah! ah!
ahí there
ahito, -a satiated, surfeited
ahora now
aigrette *f.* (*Fr.*) aigrette (*plume or tuft of feathers*)
aire *m.* air; **— libre** open air
aislado, -a isolated, solitary, individual
aislamiento *m.* isolation
aislar isolate
ajar wither, fade
ajuar *m.* household goods
al + *inf.* in, on, upon, while + *pres. part.*
alabar praise
alado, -a winged
alambrado *m.* trellis
alarido *m.* shriek
alarmado, -a alarmed
alba *f.* dawn
albo, -a white
alcalde *m.* mayor
alcanzar reach, attain, overtake; **—a** + *inf.* succeed in, be able to
alcohol *m.* alcohol
alegrarse rejoice, be happy
alegre gay, joyful, happy
alegría *f.* joy, happiness
alejar remove, separate, keep away; **-se** go away, withdraw, disappear, retreat
alemán *m.* German
alemán, -a German
Alemania *f.* Germany
alero *m.* eaves
aletear flutter
aleteo *m.* fluttering, flapping
alférez *m.* standard-bearer
alfombra *f.* carpet, rug
algo something, anything, somewhat; **un —** something; **— de** something
alguien some one, somebody
algún, -o, -a some, any; some one, any one
alhaja *f.* jewel
alimentación *f.* eating, food
alimenticio, -a nourishing, alimentary

alimento *m.* food
alineado, -a lined up
alinear stretch, extend
alisamiento *m.* smoothness
alma *f.* soul
almacén *m.* store, arsenal
almacenar store, deposit
almena *f.* battlement
almorzar lunch
almuerzo *m.* lunch
alojamiento *m.* lodging
alojar lodge
alquiler *m.* hire, rent
alrededor de around; **alrededores** *m. pl.* outskirts, neighborhood
alterar alter, vary, change
altivamente haughtily
altivez *f.* haughtiness, pride
altivo, -a haughty
alto *m.* halt; **hacer —** make a halt, stop
alto, -a high, tall; **lo —, lo más —** the top, the height, above; **a lo —** upward; **en —** aloft, high, on high; **los ojos en —** with the eyes rolled up
altura *f.* height
alzacuello *m.* clerical collar
alzarse rise
allá there; **más —** beyond, further, further on, outside; **más — de** beyond
allí there
amabilidad *f.* amiability
amable amiable, agreeable, friendly, kind
amado, -a loved, beloved
amalgama *f.* amalgam, mixture
amanecer *m.* dawn, daybreak; **al —** at dawn
amapola *f.* poppy
amar love
amarillento, -a yellowish
amasar amass; *see Notes*
ambiente *m.* atmosphere
ambos, -as both, the two
amenaza *f.* threat
amenazador, -a threatening
amenazante threatening
amenazar threaten
América *f.* America; **— del Sur** South America
americano, -a American
ametralladora *f.* machine gun
amigo *m.* friend
amigo, -a friendly, familiar
amistad *f.* friendship
amistoso, -a friendly
amo *m.* master
amoldar fit, mold
amor *m.* love
amoroso, -a loving, devoted
amortiguado, -a deadened
amparar protect
amparo *m.* shelter; **al —** in the shelter
amplio, -a wide, ample, prolonged
amputar amputate
análisis *m.* analysis
analizar analyze
anatematizar anathematize, curse
anciana *f.* old woman
ancianidad *f.* old age
anciano *m.* old man; **—s** old people
ancho, -a wide, broad
anchura *f.* breadth
andaluz, -a Andalusian

andar go, walk, march; be; — **cerca** be near
Andes *m. pl.* Andes
andrajoso, -a ragged, tattered
anduve, -iste, -o *etc. see* **andar**
anexionarse annex
angostura *f.* narrowness, defile
anguloso, -a angular
angustia *f.* distress, anguish
angustiado, -a distressed, anguished
angustioso, -a distressed, painful
anhelo *m.* desire, ambition, aspiration
anillado, -a curled
anillo *m.* ring; **—s** rings, sections which make up body of serpents
animado, -a animated, encouraged
animal *m.* animal
animalidad *f.* animality, animal existence
animar encourage, animate, excite
ánimo *m.* mind, spirit; courage
animoso, -a courageous
aniversario *m.* anniversary
anochecer *m.* nightfall; **al —** at nightfall
anonadado, -a crushed, overwhelmed
anonadador, -a annihilating, destructive
anónimamente namelessly, unknown
anormal abnormal
anquilosado, -a ankylose, stiff-jointed
ansia *f.* desire, eagerness, longing
ante before, in front of; at; — **todo** before all
antecedente *m.* antecedent
anteojos *m. pl.* glasses
antepasado *m.* ancestor
anterior former, previous, preceding
antes formerly, before; — **de** before; — **que** before; rather than; — **que nada** before all, above all; **cuanto —** as soon as possible
antigüedad *f.* antiquity, antique
antiguo, -a old
antiséptico *m.* antiseptic
antorcha *f.* torch
antro *m.* cavern, den
anunciar announce
añadir add
año *m.* year
apagado, -a dimmed, extinguished
apagar extinguish, put out
aparador *m.* sideboard
aparatoso, -a decorated, pompous, ornamented
aparecer appear
aparente apparent
aparición *f.* apparition, appearance
apartadero *m.* siding, side track
apartado, -a remote, distant, isolated
apartamiento *m.* withdrawal
apartarse withdraw, leave, get out of the way
aparte apart
apasionado, -a passionate
apearse dismount
apelar resort
apelotonarse crowd together

apenas hardly, scarcely; as soon as
apetito *m.* appetite
apiadarse, — de commiserate, pity, take pity
apisonado, -a pressed, pounded down
aplastar crush; **-se** become flat, make oneself flat
aplaudir applaud
aplicar apply
Apocalipsis *m.* Apocalypse (*the Revelation of St. John the Divine, the last book of the New Testament*)
apoderarse take possession, get hold
apodo *m.* nickname
apostólico, -a apostolic
apostrofar upbraid
apoyar lean, rest; support
apoyo *m.* support
apreciación *f.* remark, judgment
apreciar realize, appreciate
aprender learn
apretado, -a compressed, squeezed in
apretar squeeze, press
aprobar approve
apropiarse appropriate
aprovechar utilize, take advantage of
aproximar bring near; **-se** approach
apuesto, -a genteel, spruce
apuntar aim, point, begin to appear, sprout
apuro *m.* difficulty, trouble, need
aquel, aquella, -os, -as that; those
aquél, aquélla, -os, -as that one, the one; those
aquello that
aquí here
aquilino, -a aquiline
aragonés *m.* Aragonese (*native of Aragon, Spain*)
aragonés, -a Aragonese
arañar scratch
arbitrario, -a arbitrary
árbol *m.* tree
arboleda *f.* grove
arca *f.* ark
arder burn, glow
ardiente ardent, hot
ardor *m.* heat, fire, ardor
ardoroso, -a ardent
arena *f.* sand
Argentina *f.* Argentine Republic
argentino, -a Argentinian
argonauta *m.* Argonaut
argumento *m.* argument
arista *f.* edge, contour
aristocrático, -a aristocratic
arma *f.* weapon, arm
armar arm; put on, fix; **-se** start, arise
armario *m.* wardrobe
armazón *m.* frame, framework
armón *m.* limber, first part of gun carriage, gun carriage
armonioso, -a harmonious
arnés *m.* harness
arpegio *m.* arpeggio
arrancar pull out, bring out, draw out, tear away, wrench
arrasar wipe out
arrastrar drag, draw, drag along
arrastre *m.* crawling
arrebatar snatch, carry off
arreglar arrange

arreglo *m.* arrangement, settlement
arremolinar whirl, mass together, stampede
arrepentimiento *m.* repentance
arrepentirse repent
arriate *m.* flower border
arriba above
arrodillarse kneel
arrogancia *f.* arrogance, insolence
arrogante arrogant
arrojar throw
arrollador, -a overwhelming
arrostrar face, confront
arroyo *m.* brook
arroz *m.* rice
arruga *f.* wrinkle
arrugado, -a wrinkled
arruinar ruin
arte *m. or f.* art
artificial artificial
artillería *f.* artillery
artillero *m.* artillery soldier
artista *m. and f.* artist
artístico, -a artistic
asaltante *m. and f.* assailant
asaltar assault, attack
ascendente rising
ascensión *f.* ascent
asechanza *f.* ambush, snare, danger
asesinar assassinate, murder
asesinato *m.* assassination, murder
asesino *m.* assassin, murderer
asentir assent
asfixia *f.* asphyxiation
así so, thus; — **como** as well as; as, in proportion as
asiento *m.* seat
asirio, -a Assyrian
asistente *m.* assistant, orderly
asno *m.* donkey, stupid fellow
asomar show, appear
asombrar amaze, surprise, astonish
asombro *m.* amazement, astonishment
asombroso, -a astonishing, amazing
aspecto *m.* aspect, appearance
ásperamente harshly
áspero, -a harsh
aspillera *f.* embrasure, opening in a wall for cannon
astilla *f.* splinter
astucia *f.* shrewdness, trick
astuto, -a astute, shrewd
asunto *m.* matter, question, business, subject
ataque *m.* attack
atardecer *m.* late afternoon, twilight
atención *f.* attention
atender attend, care for
atentado *m.* offense, transgression
aterrador, -a terrifying
aterrarse be terrified
aterrorizado, -a terrified
atmósfera *f.* atmosphere
atmosférico, -a atmospheric
atocinado, -a fat, greasy
atormentar torment
atracción *f.* attraction
atraer attract
atrajese *etc. see* **atraer**
atrás back, backwards; **hacia** — backward
atravesar pass through, penetrate, cross
atreverse dare, venture

atrevimiento *m.* boldness
atribuír attribute, ascribe
atribuyendo *see* **atribuír**
atrocidad *f.* atrocity
atropellar trample, do violence to
aturdidamente thoughtlessly, confusedly
audacia *f.* audacity, boldness
audaz bold, daring
auditivo, -a auditory
augurio *m.* omen
Augusta *f.* Augusta
aullar howl
aullido *m.* howl
aumentar increase
aun, aún yet, still, even
aunque although, even if
ausencia *f.* absence
ausente missing, absent
austero, -a austere
autenticidad *f.* authenticity
autómata *m. and f.* automaton
automático, -a automatic
automatismo *m.* automatism
automóvil *m.* automobile; — **de alquiler** taxicab
autor *m.* author
autoridad *f.* authority
auxiliar *m.* helper, aid
auxilio *m.* aid, help
avalancha *f.* avalanche
avance *m.* advance
avanzada *f.* scouting party, picket
avanzado, -a advanced, radical
avanzar advance, go ahead, proceed
avaricia *f.* avarice, stinginess
ave *f.* bird
avenida *f.* avenue, walk
aventura *f.* adventure
aventurero *m.* adventurer
aventurero, -a adventurous
avergonzar fill with shame
averiguación *f.* inquiry, investigation
avidez *f.* eagerness, avidity
aviejado, -a aged
avión *m.* aeroplane
avisar warn, announce; **se avisaban** they warned each other
aviso *m.* warning, notice
¡ ay! oh! alas!
ayer yesterday
ayuda *f.* aid, assistance
ayudante *m.* aide; *m. and f.* assistant
ayudar help, aid
azar *m.* chance, fortune; **al — del encuentro** by chance meeting
azoramiento *m.* disconcertion, embarrassment
azul blue
azulado, -a bluish

B

Babel Babel
bailar dance
baile *m.* dance, ballet; — **de trajes** costume ball
bajar descend, go down, come down; lower
bajo, -a low
bajo under, beneath
bala *f.* ball, bullet
balanceo *m.* swaying
balaustrada *f.* balustrade
balbucear mumble, stammer
balcón *m.* French window
bamboleante swinging, shaking

banda *f.* band, flock; scarf
bandeja *f.* tray
bandera *f.* flag
banderita (*dim. of* **bandera**) little flag
bandido *m.* bandit, villain
bañar bathe
baño *m.* bath, bath tub
barato, -a cheap
barba *f.* beard, whiskers; **—s** beard
barbarie *f.* barbarism
bárbaro *m.* barbarian
bárbaro, -a barbarous, awful
barbudo *m.* heavy-bearded man
barca *f.* rowboat
barco *m.* boat
barítono *m.* baritone
barraca *f.* cabin
barrer sweep, sweep away
barrera *f.* barrier
barricada *f.* barricad
barro *m.* mud, clay
bastante enough, sufficient
bastar suffice, be sufficient
bastidor *m.* wooden framework
Bastille *f.* (*Fr.*) Bastille (*name of a square in Paris*)
bastón *m.* cane
bata *f.* dressing-gown
Bataillonskommandeur *m.* (*German*) commander of a battalion
batalla *f.* battle
batallador, -a fighting
batallar fight
batallón *m.* battalion
batería *f.* battery
batir beat, attack; **-se** battle with, fight
bautizar baptize
bayoneta *f.* bayonet
beatífico, -a beatific, blissful
beber drink
Beethoven Ludwig van Beethoven, German composer (1770–1827)
belga Belgian
Bélgica *f.* Belgium
belleza *f.* beauty
benevolencia *f.* benevolence
Berlín Berlin
besar kiss
beso *m.* kiss
bestia *f.* beast, animal
bestial beastly, bestial, animal
bien well; comfortable, well-off
bienes *m. pl.* possessions, wealth
bienestar *m.* comfort
bigote *m.* mustache
Bismarck Otto E. L. von Bismarck, German statesman (1815–1898)
blanco, -a white
blancura *f.* whiteness
blando, -a soft
blandón *m.* big candle
blanquear look white
blindado, -a iron-plated
blonda *f.* lace
bloque *m.* block
boca *f.* mouth
bocina *f.* horn
boche *m.* French nickname for the Germans
bodega *f.* wine cellar, cellar
bola *f.* ball
bolsa *f.* bag, kit; **— de sanidad** sanitary kit
bolsillo *m.* pocket
bombardear bombard
bombardeo *m.* bombardment

bonachón *m.* good-natured fellow
bondad *f.* goodness, kindness
bondadoso, -a kindly, good-natured
borceguí *m.* laced shoe
borde *m.* edge, border, ridge
bordear border, edge
borracho, -a drunk
borrar rub out, efface
bosque *m.* woods, forest
bosquejar sketch
bota *f.* boot, shoe; — **alta** boot
botella *f.* bottle
botica *f.* drug store
Bourse (*Fr.*) Stock Exchange (*name of a square in Paris*)
bóveda *f.* vault, arched roof
brasero *m.* brazier, pan for burning coals
bravata *f.* bravado
bravío, -a wild
brazal *m.* armband
brazalete *m.* bracelet
brazo *m.* arm; **unos —s nervudos** a pair of sinewy arms
brecha *f.* breech, opening
breve brief, short; **en** — soon
brigada *f.* brigade
brillante brilliant, shining
brillar shine, gleam, glitter
brillo *m.* glow, glitter, gleam
brisa *f.* breeze
británico, -a British
broma *f.* joke, jest
bromear joke
bruces; de — face downward
bruma *f.* mist, fog
brusco, -a sudden, sharp, rude
brusquedad *f.* suddenness, abruptness
brutal brutal
buen, bueno, -a good
buey *m.* ox
bufido *m.* puff, snort
bujía *f.* candle
bulto *m.* bulk, mass, bundle
bullicioso, -a boisterous, noisy
bullón *m.* protuberance, prominence, unevenness on a surface
buque *m.* ship
burbuja *f.* bubble
burbujeo *m.* bubbling
Burdeos Bordeaux
burgués *m.* bourgeois, person of the middle class
burgués, -a middle-class
burla *f.* mockery, sneering
burlarse de make fun of
burlón *m.* joker, scoffer
burlón, -a joking, scoffing
buscar seek, look for, try

C

caballada *f.* herd of horses
caballejo *m.* nag
caballería *f.* cavalry
caballo *m.* horse; — **de tiro** dray horse; — **de montar** saddle horse; **a** — on horseback
cabaña *f.* hut, tentlike hut
cabecera *f.* head (*of a bed*)
cabellera *f.* head of hair, tresses
cabello *m.* hair; **—s** hair
cabeza *f.* head
cacería *f.* hunt, hunting expedition
cada each, every; — **cual** each one; — **vez más** more and more

cadáver *m.* corpse
cadena *f.* chain
cadera *f.* hip
caer fall, drop
café *m.* coffee
caída *f.* fall
caiga *etc. see* **caer**
caja *f.* box
cajón *m.* box, case, drawer
calamidad *f.* calamity
calcinado, -a calcined, burned
calentar heat
calidad *f.* quality
cálido, -a warm, impassioned
caliente hot, warm
calma *f.* calm, quiet
calmoso, -a calm, slow
calor *m.* heat
caluroso, -a hot, warm
calzado, -a shod
calzones *m. pl.* breeches
callar, callarse be silent, keep quiet, stop talking, conceal
calle *f.* street
callejero, -a street, of the street
cama *f.* bed
camarada *m.* comrade
cambiar change, exchange; **— de** change; **— de lugar** change places
cambio *m.* change; **en —** on the other hand
camilla *f.* stretcher
caminante *m.* traveler
caminar walk
camino *m.* road, way
camión *m.* truck
camisa *f.* shirt
campamento *m.* camp
campana *f.* bell
campanario *m.* belfry
campaña *f.* campaign; **lentes de —** field glasses
campesino *m.* peasant, countryman
campesino, -a country, rustic
campiña *f.* countryside
campo *m.* field, country
canal *m.* ditch, canal
canalla *m.* scoundrel, villain
canción *f.* song
candidez *f.* simplicity
canoso, -a grayish, gray-haired
cansado, -a tired, weary
cansancio *m.* fatigue, weariness
cantar *m.* song
cantar sing
cántaro *m.* bucket
cántico *m.* song
cantidad *f.* quantity
caña *f.* reed
cáñamo *m.* hemp; **pelo de —** hemp-colored hair
cañón *m.* cannon
cañonazo *m.* discharge of a cannon
cañoneo *m.* cannonade
capa *f.* cape, covering, layer
capaz capable
caperuza *f.* hood, pointed roof
capital *f.* capital
capital principal
capitalismo *m.* capitalism
capitán *m.* captain
capote *m.* overcoat
capricho *m.* whim; **a —** at will, at random
caprichoso, -a capricious, willful
cápsula *f.* capsule
cara *f.* face; **tener — de** look; **tener — de hambre** look hungry
carabina *f.* rifle

carácter *m.* character, disposition
carbón *m.* coal
carbonizado, -a charred
carcajada *f.* peal of laughter
cárcel *f.* jail
carecer de lack
carga *f.* load, cargo; loading; charge; **vagón de —** freight car
cargamento *m.* load
cargar load, fill
cariñoso, -a affectionate
carne *f.* flesh, meat; **—s** flesh; **tenían los pies en — viva** their feet were raw and bleeding
carnicería *f.* butcher shop; slaughter
caro, -a dear, expensive
carpa *f.* carp
carrera *f.* race, running, career
carreta *f.* cart
carretera *f.* highway, road
carretilla *f.* wheelbarrow
carretón *m.* cart
carro *m.* wagon
carroña *f.* carrion
carruaje *m.* conveyance
carta *f.* letter, chart
cartaginés *m.* Carthaginian
cartón *m.* pasteboard
cartucho *m.* cartridge
casa *f.* house, home; **— municipal** town hall
casarse get married; **— con** marry
cascada *f.* cascade
cascarón *m.* shell
casco *m.* helmet; fragment (*of glass or of iron*)
cascote *m.* rubbish, broken piece of wall
caserío *m.* hamlet
casi almost, scarcely, hardly
casino *m.* club
caso *m.* case, occasion; **creer del —** think fitting *or* proper
Cassel Cassel (*city in Germany*)
casta *f.* caste, rank, lineage, kind, class
castellano *m.* Castilian, Spanish language
castellano, -a Castilian
castigar punish
castigo *m.* punishment
castillo *m.* castle
casualidad *f.* chance
casualmente by chance, casually
casucha *f.* (*depr. of* **casa**) shanty
catafalco *m.* catafalque, funeral bed of state
catalán, -a Catalonian, native of Cataluña (*region of Spain*)
catalepsia *f.* catalepsy, trance
catástrofe *f.* catastrophe
catedral *f.* cathedral
católico, -a catholic
catorce fourteen
caudillo *m.* leader, commander
causa *f.* cause, reason; **a — de** on account of, because of
causar cause, produce
cauteloso, -a cautious, crafty
cautivo *m.* captive
cayeron *see* **caer**
cayó *see* **caer**
caza *f.* game, hunt, hunting
cazador *m.* hunter; chasseur (*light infantry or cavalryman in the French army*)

cazar hunt; — **a tiros** shoot
cazo *m.* cup
cebarse fatten
ceder yield, cede
ceguera *f.* blindness
ceja *f.* eyebrow
celebrar be glad of, rejoice; **-se** be celebrated, take place
célebre celebrated, famous
celeridad *f.* rapidity
cementerio *m.* cemetery
cena *f.* dinner, supper
ceniza *f.* ashes
centellear sparkle, glitter
centenar *m.* a hundred
centímetro *m.* centimeter
central central, main
centro *m.* center, middle
ceñidor *m.* girdle
cepillo *m.* brush
cera *f.* wax
cerca *f.* fence
cerca near; — **de** near, nearly; to; **de** — near at hand
cercanía *f.* vicinity, neighborhood
cercano, -a near by, neighboring
cerdo *m.* pig
cerebro *m.* brain, mind
cerrado, -a (*see* **cerrar**); **descarga cerrada** volley
cerrar close, shut; **al — la noche** at nightfall; — **los puños** clench the fists
certeza *f.* certainty
certidumbre *f.* certainty
cervecería *f.* beer garden
cerveza *f.* beer
cesar cease, stop
cesta *f.* hand-basket
cesto *m.* basket
ciclo *m.* cycle
ciclón *m.* cyclone
ciego, -a blind
cielo *m.* sky, heaven
cien hundred
ciento *m.* hundred
cierto, -a certain, sure, true; a certain
cifra *f.* figure
cigarrillo *m.* cigarette
cigarro *m.* cigar
cilindro *m.* cylinder
cinc *m.* zinc
cinco five
cincuenta fifty
cinematógrafo *m.* moving pictures
cinta *f.* ribbon
cinto *m.* belt
cintura *f.* waist
cinturón *m.* belt
circulación *f.* circulation, traffic
circular circulate
circular circular, round
círculo *m.* circle
cirio *m.* candle
ciruela *f.* plum
cisne *m.* swan
ciudad *f.* city
civil *m.* civilian
civilizado, -a civilized
civilización *f.* civilization
civilizar civilize
claramente clearly
claras; a las — clearly
claridad *f.* clearness
claro *m.* intermediate space, opening
clase *f.* class
clavar stick, nail, fasten
claveteado, -a hobnailed

clericalismo *m.* clericalism
cliente *m.* client
clima *m.* climate
cloqueo *m.* croaking
cobertizo *m.* shed, porch
cobrar get, gather up animals killed in hunting
cocer cook, bake, boil
cocina *f.* kitchen; — **de hierro** cook stove
cocinero *m.* cook
coche *m.* car
codicia *f.* greed, covetousness
codo *m.* elbow
coincidir coincide
cola *f.* tail, end
colchón *m.* mattress
colegio *m.* college, school
cólera *f.* anger
colérico, -a angry, irascible
colgante hanging
colgar hang
colina *f.* hill
colocar put, place, station
color *m.* color
colorear color, tint
columbrar discern, distinguish
columna *f.* column
comandante *m.* major
combate *m.* combat, fight
combatiente *m.* combatant, fighter
combatiente combatant
combatir give battle, fight
comedor *m.* dining room
comensal *m.* table guest
comentario *m.* comment
comenzar commence, begin
comer eat
comercial commercial
comerciante *m.* merchant
comerciante trading
comestible eatable
comestibles *m. pl.* victuals, eatables
cometer commit
comida *f.* meal, food
comisario *m.* commissary
como like, as; **cómo** how
comodidad *f.* comfort
cómodo, -a comfortable
compadecer pity, sympathize with
compañero *m.* companion, friend
compañía *f.* company
comparar compare
compatriota *m. and f.* compatriot, fellow countryman
compensar compensate, make up for
complejo, -a complex
completo, -a complete; **por** — completely
componer compose, make up
compra *f.* purchase
comprar buy
comprender comprehend, embrace, understand
compromiso *m.* obligation, agreement
compuerta *f.* sluice
compuesto *see* **componer**
compungido, -a sorrowful, sad
comunicar communicate, give
con with, by; — **que** + *subj.* provided, if only; — **sólo que** if only; — **tal que** provided that, if only
concebir conceive, conceive of
concentrado, -a concentrated
concentrar concentrate
concibió *see* **concebir**

Concordia *f.*; **Plaza de la —** Place de la Concorde (*square in Paris*)
conde *m.* count
condecorar decorate
condenada *f.* condemned
condenado *m.* condemned
condiscípulo *m.* fellow-student
cóndor *m.* condor
conducir conduct, lead, take, carry
conducta *f.* conduct, behavior
conductor *m.* leader, driver
conferencia *f.* lecture
confesar confess
confianza *f.* confidence
confieso *etc. see* **confesar**
conflicto *m.* conflict, struggle
confundido, -a confused, mingled
confundir confuse, mix, mingle; **-se** be confused; **-se con** be mistaken for
confuso, -a confused
congratular congratulate
Congreso *m.* Parliamentary body corresponding to the House of Representatives
conjunto *m.* whole; **en —** all together
conjuro *m.* conjuration; **al — de** moved by
conmovedor, -a moving
conmover affect, move, agitate, disturb
cono *m.* cone
conocer know, be acquainted with
conocido, -a familiar
conocimiento *m.* acquaintance
conquista *f.* conquest
conquistador *m.* conqueror
conquistador conquering
conquistar conquer, win
consagración *f.* acceptance, prestige
consagrar devote, consecrate
consecuencia *f.* consequence
consecutivo, -a consecutive
conseguir obtain, get; succeed in
consejo *m.* advice, counsel
consentir consent, allow
conserje *m.* janitor, superintendent, caretaker
conservar keep, preserve, retain
consideración *f.* consideration, reflection
considerar consider, reflect upon
consistir consist
conspiración *f.* conspiracy
constituír constitute
constituyen *see* **constituír**
constructor *m.* constructor, builder
consuelo *m.* comfort, consolation
consultar consult
consumir consume, wear out
consumo *m.* consumption, use
contacto *m.* contact, touch; **mantener el —** keep in touch
contagiar infect
contagio *m.* contagion
contar count, tell, relate; **— con** count on
contemplar contemplate, gaze at, behold
contemporáneo, -a contemporaneous
contener contain, hold, restrain, check, stop
contenido *m.* contents

contestar answer
contienda *f.* struggle, fight
continuación *f.* continuation; **a —** next, then, immediately afterwards
continuamente continuously
continuar continue
continuo, -a continuous, continual
contorsionado, -a twisted
contorno *m.* outline
contra against, at
contracción *f.* contraction
contradecir contradict
contradictorio, -a contradictory
contraer contract; **-se** contract
contraído, -a contracted
contrajese *etc. see* **contraer**
contrajo *see* **contraer**
contrario contrary; **por el —** on the contrary
contraste *m.* contrast
contrayendo *see* **contraer**
contribuír contribute
conturbación *f.* disturbance, upheaval, change
contuve *etc. see* **contener**
convencer convince
conveniencia *f.* expediency, advisability
convenir be good, suit
conversación *f.* conversation
conversar converse, talk
convertir convert, change
convidar invite
convirtiendo *see* **convertir**
convivir live together
convoy *m.* convoy
convulsión *f.* convulsion, struggle
convulsivamente convulsively
convulso, -a convulsed
coordinar coördinate
copa *f.* top (*of tree*)
coracero *m.* cuirassier (*cavalry soldier that wears a cuirass*)
coral *m.* chorus, anthem
corazón *m.* heart
corcel *m.* charger
coro *m.* chorus
correaje *m.* accouterment, harness
corredizo, -a sliding
corredor *m.* corridor, hall
correr run
corresponder correspond; be fitting, be suitable
corretear run around, scamper
correteo *m.* chase, running about
corriente *f.* current
corro *m.* circle
corrosivo, -a corrosive, wasting
cortado, -a cut off
cortante sharp, cutting
cortar cut, cut off; **— el paso** stop, stop short
corte *f.* court
cortesía *f.* courtesy, politeness
corteza *f.* bark, surface, crust
cortina *f.* curtain
cortinaje *m.* drapery
cortinilla *f.* (*dim. of* **cortina**) little curtain
corto, -a short
cosa *f.* thing
cosecha *f.* harvest
coser sew
costa *f.* cost, expense; coast
costillar *m.* **costillares** *m. pl.* set of ribs, part of body containing ribs
costoso, -a costly

costumbre *f.* custom, habit
cotidiano, -a daily
cráneo *m.* skull, head
craneal cranial
cráter *m.* crater
creación *f.* creation
crear create
crecer grow
crecido, -a grown
creciente increasing, growing
crecimiento *m.* growth
credulidad *f.* credulity
creer believe, think; **creyendo ser** thinking they would be
crepitamiento *m.* crackling
crepúsculo *m.* twilight
creyendo *see* **creer**
creyó *see* **creer**
crezca *etc. see* **crecer**
criado *m.* servant
criatura *f.* creature, little child
criba *f.* sieve
crimen *m.* crime
crin *f.* horse's mane
criollo, -a creole
crisis *f.* crisis, panic
crispar contract
cristalizado, -a crystallized
crítico, -a critical
cronológicamente chronologically
cruel cruel
crujido *m.* cracking noise
crujir crack, crackle
cruz *f.* cross; **Cruz Roja** Red Cross
cruzada *f.* crusade
cruzar cross
cuadra *f.* stable
cuadrado *m.* square
cuadrado, -a square, stocky
cuadrilátero *m.* quadrangle
cuadro *m.* painting, picture, canvas; frame
cual; el, la —, los, las —es who, which
cuál what
cualidad *f.* quality
cualquiera any, any one, any whatever
cuán how
cuando when; **de vez en —** from time to time
cuanto as much as, all that; **—s, —as** all that; **todo —** all that; **— antes** as soon as possible; **unos —s** some, a few
cuánto, -a how much; **—s** how many
cuarenta forty
cuarto *m.* room
cuatro four
Cuba *f.* Cuba
cubierta *f.* covering; deck
cubierto (*see* **cubrir**) covered
cubo *m.* bucket; **— de artillería** gun bucket
cubrir cover; **-se de** become covered with
cuchillo *m.* knife
cuello *m.* neck
cuenta *f.* account; **darse —** realize, notice; **tener en —** take into account
cuento *m.* short story
cuerda *f.* string, rope
cuero *m.* leather, hide
cuerpo *m.* body; corps
cuervo *m.* crow
cuesta *f.* slope, hill
cueva *f.* cellar
cuidado *m.* care

cuidadosamente carefully
cuidar take care of; — **de** take care of
culata *f.* gun stock
culatazo *m.* blow of the gun stock; **a —s** by blows with the butt end of a gun
culminante culminating
culpa *f.* fault, guilt, blame
culpable *m. and f.* guilty person
culpable guilty, responsible
cultivador *m.* farmer
cultivar cultivate
cumbre *f.* summit, peak
cumplir fulfill
cuñado *m.* brother-in-law
cúpula *f.* cupola, dome
cura *m.* priest
cura *f.* treatment; **primera —** first aid
curación *f.* treatment, cure
cureña *f.* gun carriage
curiosidad *f.* curiosity
curioso, -a curious, wondering
curso *m.* course
curva *f.* curve
curvo, -a curved, aquiline
cuyo, -a whose

CH

champañ *m.* champagne
chamuscar scorch
chantage *m.* (*Fr.*) blackmail
chapa *f.* plate
chapurrear speak (*a language*) brokenly
chaqueta *f.* coat
charco *m.* pool
Charleroi Charleroi (*a city in Belgium*)
chasquido *m.* crack
Chichí *pet name, not to be translated*
chimenea *f.* chimney, fireplace
china *f.* servant (*used in South America*)
chiquillo *m.* (*dim. of* **chico**) little boy, boy; **—s** little children
chirriar creak
chispa *f.* spark
chocolate *m.* chocolate
chőfer *m.* chauffeur
choque *m.* shock, collision, clang, clash, conflict, blow
chorreante dripping, trickling, flowing
chorrear flow, drip
chorro *m.* jet, stream
chupada *f.* puff (*of a cigar*)

D

danza *f.* dance; **entrar en —** take part
danzarín *m.* dancer
daño *m.* harm
dar give; **— la batalla** fight, give battle; **— una batalla** fight a battle; **— con** find, come upon; **— de beber** give to drink; **— a entender** show, imply; **— escolta** act as convoy; **— fin** finish, come to an end; **— las gracias** thank; **— paso** make way; **— un paso** take a step; **— por bien empleado** consider well spent; **-se cuenta** realize, notice; **-se un hartazgo** gorge oneself
de of, from, by, with, than, as, as a; **— . . . en . . .** from . . . to . . .; **del que** than

debajo de under
deber *m.* duty
deber ought, must; **-se** be due; **así debía ser** so it must be
débil weak, feeble
debilidad *f.* weakness
decepción *f.* deception
decididamente decidedly, certainly
decidir decide
decir say, tell; **es —** that is to say
decisión *f.* decision
decisivo, -a decisive
declaración *f.* declaration, statement
decoración *f.* stage setting
dedicar dedicate, devote
dedo *m.* finger
defecto *m.* defect, fault
defender defend
defensa *f.* defense
deformar deform
degollar behead, cut the throat
dejadez *f.* lassitude, languor
dejar leave, let, allow; **— de** cease, stop; **— paso** make way
delante before, in front; **— de** before, in front of; **por —** ahead, in front, forward
delatar denounce, indicate
delectación *f.* delectation, delight
delegar delegate, give over
deleitar delight, gratify; **-se** enjoy, take pleasure
delgadez *f.* thinness
delirio *m.* delirium
delito *m.* crime
demanda *f.* claim, petition
demás rest, other, others
demasiado, -a too much, too many
demasiado too, too much
democrático, -a democratic
demolición *f.* demolition, housewrecking
demostrar demonstrate, show
dentro de inside, within, in
denuncia *f.* denunciation, complaint
denunciador, -a denouncing, betraying
denunciar denounce, give evidence
departamento *m.* province
dependencia *f.* outbuilding
depender depend
deplorable deplorable
depositar deposit, place
depósito *m.* deposit, store
deprimido, -a depressed, disheartened
derecho *m.* right, law
derecho, -a straight, erect
derramar shed, pour out, spill
derribar throw down, knock down, knock over
derrota *f.* defeat
derrotar defeat
derrumbamiento *m.* falling down, collapse
desabrochar unbutton
desafío *m.* duel
desahogar relieve, unburden
desalentado, -a discouraged, dejected
desalentar dishearten, discourage
desaliento *m.* discouragement
desaparecer disappear

desarrollar develop; **-se** happen, take place
desbordar pour out, overflow
descalzo, -a barefoot
descansar rest
descanso *m.* rest
descarga *f.* unloading, emptying; firing, discharge, report, volley
descender descend, get down
descomponerse decay, rot
descomposición *f.* decay, decomposition, putrefaction
descompuesto, -a (*see* **descomponer**) decayed, rotten, spoiled
desconcertar disconcert, puzzle
desconfiado, -a suspicious
desconfianza *f.* distrust
desconocido, -a unknown
describir describe
descripción *f.* description
descriptivo, -a descriptive
descubierto (*see* **descubrir**) uncovered; **al** — visible
descubrir discover, disclose
descuidado, -a careless, unsuspicious
descuido *m.* carelessness, oversight
desde from, since; — **que** since
desdeñoso, -a disdainful
desear desire, wish, want
desechar cast off, reject, put aside
desembarazado, -a unencumbered
desembarazar clear, free
desembarcar disembark, land
desempeñar fulfill, fill
desenterrar dig up
deseo *m.* desire, wish
deseoso, -a desirous
desesperación *f.* desperation
desesperadamente desperately
desesperado, -a despairing, desperate
desfigurar disfigure, deface
desfilar file by, pass by
desfile *m.* procession
desfondar break *or* open the bottom of a thing
desgarrar tear
desgarrón *m.* rent, tear, cut
desgaste *m.* wear
desgracia *f.* misfortune
desgranar shake out grain; **las horas se desgranan lentamente** the hours pass slowly
deshacer undo; **-se** break up, dissolve
deshecho (*see* **deshacer**) destroyed; unmade
deshice *etc.* *see* **deshacer**
deshinchar deflate
deshizo *see* **deshacer**
desierto, -a deserted, desert
designar designate, point out
desigual unequal
desistir desist, stop
deslealtad *f.* disloyalty, breach of faith
deslizamiento *m.* gliding, crawling
deslizar glide; **-se** slip in, slip away
deslumbrador, -a dazzling
desmesuradamente excessively, exceedingly
desmoralizante demoralizing
desmoronarse tumble down, go to pieces
desnudez *f.* nakedness
desnudo, -a nude, naked, bare

desolladura *f.* abrasion, wound of the skin produced by friction
desorden *m.* disorder
desorientación *f.* confusion, bewilderment
desorientado, -a confused, bewildered
despavorido, -a terrified
despedazar tear to pieces
desperfecto *m.* injury, damage
despertar awake, arouse
despintado, -a faded, shabby
desplomarse drop, fall flat
despoblar depopulate
despojar deprive, strip, plunder; **-se** take off
despojo *m.* plunder
despreciable contemptible, despicable
desprecio *m.* disdain
desprender free, loosen, detach
desprovisto, -a void, lacking
después afterwards, then, later; — **de,** — **que** after
desquite *m.* retaliation, revenge
destacamento *m.* detachment
destacarse stand out
destierro *m.* exile
destino *m.* fate, destiny; **para mejores —s** for a better destiny
destrozar destroy, break
destrozo *m.* destruction
destrucción *f.* destruction
destructor, -a destructive
destruír destroy
destruyendo *see* **destruír**
desvanecerse vanish, disappear; faint, lose consciousness
desvelado, -a sleepless, wakeful
desvelo *m.* sleeplessness
desvencijamiento *m.* looseness, state of being worn out *or* loose due to use; **sonar a —** rattle
detención *f.* delay, stop
detener stop; **-se** stop
determinar determine
detonación *f.* detonation, report, explosion
detrás behind; — **de** behind
detuvo *see* **detener**
deuda *f.* debt
devolver return, bring back
devorar devour
día *m.* day
diablillo *m.* (*dim. of* **diablo**) little devil, imp
diablo *m.* devil
diariamente daily
diario *m.* newspaper
dicen *see* **decir**
diciendo *see* **decir**
dictar dictate
dicha *f.* happiness
dicho, -a (*see* **decir**) said
dichoso, -a happy, fortunate
diente *m.* tooth
dieron *see* **dar**
diese *see* **dar**
diestra *f.* right hand
diez ten; — **y seis** sixteen; — **y siete** seventeen; — **y ocho** eighteen; — **y nueve** nineteen
diferencia *f.* difference
diferente different
dificultad *f.* difficulty
dificultar make difficult
difundir spread
dignarse condescend, deign
dignidad *f.* dignity

dije *etc. see* **decir**
dilatado, -a dilated
dilatar dilate; **-se** spread out
diluírse dilute, disappear
dinero *m.* money
dió *see* **dar**
Dios *m.* God
diputado *m.* member of the legislative body corresponding to the House of Representatives
dirección *f.* direction; **con — a** toward, in the direction of
director *m.* leader
directora *f.* director, manager
dirigir direct; **-se** address; go towards, direct one's steps, turn
dirimir settle
disciplina *f.* discipline
disciplinado, -a disciplined
disco *m.* disk
discordante discordant
discreción *f.* discretion, prudence
discreto, -a discreet, prudent, sensible
discusión *f.* discussion, argument
discutir discuss, dispute
disfrazado, -a disguised
disgregar disintegrate, go to pieces
disgusto *m.* trouble, displeasure
disimular dissemble, conceal, disguise
disimulo *m.* dissimulation, simulation
disolverse dissolve, fade away, disappear
disparar fire
disparo *m.* shot
dispensar grant, concede
dispersar disperse, scatter
disponer dispose of, arrange; **— de** dispose of, use, have
disputar dispute, contest
distancia *f.* distance; **a —** at a distance
distinguido, -a distinguished
distinguir distinguish, make out
distintivo, -a distinctive
distinto, -a distinct, different
distribuír distribute
diván *m.* divan, sofa
diverso, -a different, various
divertir amuse
doblar bow; **-se** fold up
doble double
docena *f.* dozen
doctor *m.* doctor
doler pain, grieve, regret; **-se de** regret
dolor *m.* pain, suffering
dolorido, -a suffering, afflicted
doloroso, -a sad, painful
doméstico *m.* servant
doméstico, -a domestic
dominante dominant
dominar master, overcome
dominio *m.* domain; command, rule
don *m.* gift
don Mr. (*used before Christian name alone or followed by the complete name*)
donde where; **a —** where
¿ dónde? where?
doña Mrs. (*used before Christian name alone or followed by complete name*)
dormido, -a asleep

dormir sleep; **-se** go to sleep, fall asleep
dormitar doze
dormitorio *m.* bedroom
dos two
doscientos, -as two hundred
dosel *m.* canopy
dote *f.* talent, gift
dragón *m.* dragoon
droga *m.* drug
duda *f.* doubt
dudar doubt, hesitate; — **de** doubt
duelo *m.* duel
dueño *m.* proprietor, owner
dulce sweet
dulcemente sweetly
durante during, throughout
durar last
dureza *f.* hardness
durmió *see* **dormir**
duro, -a hard, stiff, harsh, severe

E

e (*before* **i** *and* **hi**) and
ebrio, -a intoxicated, drunk
eco *m.* echo
económico, -a economical
echar throw, cast; — **a correr** start to run; — **por delante** push ahead; — **humo** give forth smoke, smoke
edad *f.* age; **de más** — older
edificio *m.* edifice, building
editorial publishing
efecto *m.* effect
efectuar effect, perform, make
egoísmo selfishness
Eiffel; torre — Eiffel Tower
ejecución *f.* execution
ejecutante *m.* player (*of a musical instrument*)
ejemplo *m.* example
ejercer exercise
ejercicio *m.* exercise
ejército *m.* army
el, la, lo, los, las the; — **de** that of
él he, him, it
electoral electoral
elegancia *f.* elegance, distinction
elegante elegant
elegir elect
elemental elementary
elemento *m.* element
elevar raise, lift; **-se** rise
eligió *see* **elegir**
Elíseo Palais de l'Élysée (*Palace occupied by the President of the French Republic*)
elogio *m.* praise
ella she, her, it
ellas *f.* they, them
ellos *m.* they, them
embadurnado, -a daubed, besmeared
embalaje *m.* packing
embargo; **sin** — however, nevertheless
emboscada *f.* ambush
embotellado, -a bottled
embrutecedor, -a stupefying
embrutecer brutalize
embrutecido, -a brutalized, stupefied
embutido *m.* sausage
emerger emerge
emigrante *m. and f.* emigrant
emoción *f.* emotion
empalidecer grow pale
empapelado *m.* wall paper

empeñado, -a determined; engaged
empeñarse insist, persist
emperador *m.* Emperor
emperatriz *f.* Empress
empezar begin; — **a** begin
empieza *see* **empezar**
emplazamiento *m.* place, site, location
emplazar locate, place
empleado *m.* employee
emplear employ, use, spend
empolvado, -a covered with dust
emprender undertake, set out on, start; — **la marcha** start
empresa *f.* enterprise, undertaking; business firm
empujar push, shove
empujón *m.* push, shove, blow
empuñar grasp
en in, on; **de . . . — . . .** from . . . to . . .
enardecimiento *m.* excitement, ardor, eagerness
enarenar cover with sand *or* gravel
encadenado, -a chained
encaminarse set out, start toward, direct one's steps
encanto *m.* charm, enchantment
encargado *m.* one in charge
encargado, -a in charge of
encender light, inflame
encerrar enclose, shut up, lock in
encierro *m.* confinement, prison
encima above, over; **por — de** above, over, across
encogerse shrink
encogido, -a huddled up, bent over
encogimiento *m.* timidity
enconado, -a bitter, unyielding
encontrar meet, find; **-se** be, happen to be, find oneself; **-se con** meet, encounter, find
encontrón *m.* concussion, clash
encorvado, -a bent over
encorvar curve, bend; **-se** bend over, stoop
encuentro *m.* meeting, encounter; **a su —** toward him; **salir al —** go out to meet, receive
enderezar straighten
endurecido, -a hardened
enemigo *m.* enemy, foe
enemigo, -a enemy, of the enemy, hostile
energía *f.* energy
enfermera *f.* nurse
enfermero *m.* nurse
enfermo *m.* sick person, invalid
enfermo, -a sick; — **del pecho** consumptive
enflaquecimiento *m.* thinness
enfrente in front, opposite; — **de** in front, opposite
enfundado, -a covered
enfurecido, -a infuriated
enfurruñamiento *m.* sullenness, ill humor
engañar deceive
engaño *m.* mistake
enguantado, -a gloved
enhiesto, -a upright, erect
enigma *m.* enigma, riddle
enjambre *m.* swarm
enjuto, -a dried-up, lean, spare
enmarañado, -a tangled
enmascarar disguise, conceal
enmudecer grow silent

ennegrecido, -a blackened
enorme enormous, huge, horrible
Enrique IV Henry IV (*King of France*, 1589–1610)
enriquecer enrich
enrojecer make red, redden
ensayar try
enseña *f.* flag, standard, insignia
enseñar show
ensillar saddle
ensueño *m.* dream
entablar start, enter into
entender understand; **-se** come to an understanding
enterar inform; **-se, -se de** learn, be aware, find out
enternecer move, soften, affect
entero, -a entire, whole, strong, firm; **por —** entirely
enterrar bury
entonar intone
entonces then; **por —** about that time
entrada *f.* entrance, entering
entrañas *f. pl.* entrails, vitals
entrapajado, -a bandaged, wrapped up
entrar enter, go in; **— al servicio** enter the service; **— en** enter, go in; **bien entrado el día** late in the morning
entre between, among, in, amidst
entrecejo *m.* space between the eyebrows; **fruncir el —** frown
entrecortado, -a broken, interrupted, halting
entregar give, deliver, surrender; **-se** surrender, give in
entrelazarse interlace
entretenerse spend the time, amuse oneself
entrever glimpse, catch a glimpse of
entrevista *f.* interview
entrevisto *see* **entrever**
entristecerse grow sad
entumecer benumb
entusiasmo *m.* enthusiasm
enumerar enumerate
envejecer grow old, age
envejecimiento *m.* age, aging
enviar send
envidiar envy
envidioso, -a envious
envío *m.* sending, shipment
envolvente involving
envolver involve, wrap, envelop
envuelto *see* **envolver**
epidermis *f.* epidermis, skin
episodio *m.* episode
época *f.* period, epoch, time
equilibrio *m.* equilibrium; **en —** upright
equipo *m.* equipment, outfit
equivaler equal, be equivalent to
equivocarse mistake, make a mistake
equivoquemos *see* **equivocarse**
era *f.* era
era *etc. see* **ser**
erguido, -a erect
erguir raise, draw up
erizado, -a bristling
es *see* **ser**
esbeltez *f.* slenderness, shapeliness
escalera *f.* staircase
escalón *m.* stair step, stair
escándalo *m.* scandal
escapar escape; **-se** escape

escarapela *f.* cockade
escasez *f.* scarcity
escaso, -a small, insufficient, scanty; **la escasa que era su prole** what a small family he had
escena *f.* scene
escenario *m.* stage
esclavo *m.* slave
escoger select, choose, pick out
escoja *etc.* *see* **escoger**
escolta *f.* convoy, escort, guard
escoltar escort
escombro *m.* rubbish
esconder hide, conceal
escozor *m.* smarting pain
escribiente *m.* clerk
escribir write
escrito *see* **escribir**
escritor *m.* writer
escrúpulo *m.* scruple, qualm
escuadrón *m.* squadron, cavalry division
escuchar listen to, hear
escudriñador, -a scrutinizing, searching
escuela *f.* school
escurrirse slip away
ese, esa that; **esos, esas** those
ése, ésa, eso that one, that; **ésos, ésas** those; **por eso** for this reason
esencia *f.* essence
esencial essential
esencialmente essentially
esfera *f.* sphere, globe
esforzarse make an effort, endeavor
esfuerzo *m.* effort
eso *see* **ése**
espacio *m.* space, interval
espalda *f.* back, shoulders; **—s** back, shoulders; **a su —, a sus —s** behind his back, behind their backs, behind him *or* them; **a —s de** behind; **de —s** on his back, on their backs, backwards; **vueltos de —s** with their backs turned
espantar frighten away
espanto *m.* terror, horror
espantoso, -a frightful, horrible
España *f.* Spain
español, -a Spanish
español *m.* Spaniard, Spanish language
esparcir scatter, spread
espasmo *m.* spasm
especialmente especially
especie *f.* species, kind
espectáculo *m.* spectacle, sight
espejo *m.* mirror
espeluznante hair-raising
espera *f.* wait, expectation
esperanza *f.* hope
esperar await, wait for, expect
espesor *m.* thickness, density
espía *m.* spy
espiar spy on, watch
espiral *f.* spiral
espíritu *m.* spirit
espiritual spiritual
esplendor *m.* splendor
espolear spur on
esposa *f.* wife
esposo *m.* husband
espumeante foaming
esquelético, -a skeleton-like, bony
esqueleto *m.* skeleton
esquilar shear

establecer establish, set up, settle
establecimiento *m.* establishment
establo *m.* stable
estación *f.* season, station
estacionar station
estado *m.* state, condition; **Estado Mayor** Staff, General Staff; **Estado Mayor General** General Staff
Estados Unidos *m. pl.* United States
estafeta *f.* post office
estallar explode, break out, burst
estallido *m.* crack, explosion
estancia *f.* ranch, large farm (*used in South America*)
estanciero *m.* rancher, farmer
estar be
este, esta this; **estos, estas** these
éste, ésta, esto this one, this, the latter; **éstos, éstas** these
estela *f.* wake
estirar stretch, stretch out
estirón *m.* jerk, rapid growth
estómago *m.* stomach
estorbar annoy, disturb, be in the way, hinder
estrago *m.* havoc, ruin; **—s** havoc
estrangular strangle
estrategia *f.* strategy, tactics
estrechar press, clasp, tighten; **— la mano** shake hands
estrella *f.* star
estremecer shake
estremecimiento *m.* trembling, shudder, quiver
estrenar present for the first time (*a play or theatrical performance*)
estrépito *m.* uproar, noise
estribo *m.* stirrup
estridencia *f.* shrillness, clangor
estridente shrill, strident
estuche *m.* case
estudiar study
estudio *m.* study
estudioso, -a studious
estupefacción *f.* stupefaction
estupefacto, -a stupefied, stunned
estuve *etc. see* **estar**
etapa *f.* halting place, phase
etc. = **etcétera** etc., et cetera
eterno, -a eternal
Europa *f.* Europe
europeo, -a European
evacuar evacuate, leave
evitar avoid
evolución *f.* evolution, movement
exacto, -a exact, correct, precise
exagerar exaggerate
exaltado, -a excited, impassioned
examen *m.* examination
examinar examine
exasperado, -a exasperated, irritated
excavar excavate, hollow out
Excelencia Excellency
excelente excellent
excesivo, -a excessive
excitante exciting
excitar excite
exclamación *f.* exclamation, outcry
exclamar exclaim

excursión *f.* excursion
excusa *f.* excuse
excusar excuse, absolve, defend
exhalar exhale, give off, give vent to
exhibir exhibit, show
exigencia *f.* demand, want
exigir demand, exact
existencia *f.* existence
existir exist, be
éxito *m.* success
exótico, -a exotic
expansión *f.* expansion, demonstration
expedición *f.* expedition
expeler expel, give out
experiencia *f.* experience
experimentar experience, feel, experiment
expiación *f.* expiation, atonement
expirar expire, die
explicación *f.* explanation
explicar explain; **-se** understand, explain; explain oneself
exploración *f.* exploration
explorador *m.* explorer
explorar explore
explosión *f.* explosion
explosivo, -a explosive
explotación *f.* exploitation
explotar exploit
exponer expose
expresar express
expresión *f.* expression
expuesto *see* **exponer**
expulsar drive out
expuso *see* **exponer**
extasiarse enjoy, take pleasure, rejoice
extender extend, spread; **-se** be
extensión *f.* extent
extenso, -a extensive, long
exterior exterior, outside
exteriormente outwardly
extraer extract, draw out, remove
extranjero, -a foreign; **el —** abroad
extrañeza *f.* astonishment, surprise, wonder
extraño *m.* stranger
extraño, -a strange, peculiar
extraordinario, -a extraordinary
extravío *m.* wildness
extrayendo *see* **extraer**
extremar carry to an end, complete, continue to the utmost, exaggerate
extremo *m.* extreme, end, finish
exuberancia *f.* exuberance
exuberante exuberant

F

fábrica *f.* factory
facción *f.* feature
faceta *f.* facet
fácil easy
facilidad *f.* ease, facility; **con —** easily
facilitar supply with, give, lend
factor *m.* factor
facultad *f.* faculty, power
faja *f.* strip, ribbon
fajar swathe
falda *f.* skirt
falso, -a false
falta *f.* fault, wrong; lack
faltar be lacking *or* missing, fail
falto, -a lacking; **— de** lacking in, lacking

famélico, -a half-starved, gaunt
familia *f.* family
familiar familiar, domestic, family
famoso, -a famous
fanático, -a fanatical
fanatismo *m.* fanaticism
fantástico, -a fantastic, imaginary
fardo *m.* bundle, bale
faro *m.* lighthouse, signal light
farsa *f.* sham, farce
fase *f.* phase
fastuoso, -a luxurious
fatal dangerous, fatal
fatiga *f.* fatigue
fatigado, -a tired, weary, worn-out
fatigar tire
favorito, -a favorite
faz *f.* face
fe *f.* faith
fecundidad *f.* fecundity
fecha *f.* date
femenil feminine, of a woman
femenino, -a feminine
fémur femur, thigh bone
fenicio *m.* Phoenician
fenómeno *m.* phenomenon
feo, -a ugly
féretro *m.* coffin
ferocidad *f.* ferocity
feroz fierce, ferocious
férreo, -a iron; **vía —a** railroad
ferrocarril *m.* railroad; **— secundario** branch line
fervor *m.* fervor
fervoroso, -a fervent
festín *m.* banquet
fetiche *m.* fetich, charm
fidelidad *f.* fidelity, loyalty
fiebre *f.* fever; **ojos de —** feverish eyes
fiel faithful
fiera *f.* wild beast
fiereza *f.* ferocity, boldness
fiero, -a fierce
fiesta *f.* fête, feast, festival
figura *f.* figure
figurar figure, be
fijamente fixedly
fijar fix, fasten; **-se** notice, pay attention, look at; settle, become fixed *or* stable; **fíjate** look here
fijeza *f.* fixity, steadiness; **con —** fixedly
fijo, -a fixed, still, motionless
fila *f.* row, file, rank
filtrarse penetrate, filter
fin *m.* end, purpose; **al —** at last
final *m.* end, finish, outcome; **al —** finally
finalizar end, put to an end
finalmente finally
fingir feign, pretend
fino, -a fine
firme firm
físico, -a physical
flácido, -a limp, flaccid, flabby
flaco, -a thin, lean, emaciated
flanco *m.* flank; **de —** from the flank
flauta *f.* flute
flojo, -a loose, lax
flor *f.* flower
florescencia *f.* efflorescence
flotante flying, loose
flotar float
flujo *m.* flowing
foliculario *m.* pamphleteer, journalist

fondo *m.* bottom, background, back; **bajos —s** depths, lower classes; **en el —** at heart, at bottom
forestal of the forest; **guardia —** forester
forma *f.* form, shape
formar form; **-se** form, make up
formidable formidable
fornido, -a strong, sturdy
fortaleza *f.* strength
fortuna *f.* fortune, luck, lucky thing, success
forzado, -a forced
forzosa *see* **forzosamente**
forzosamente forcibly, necessarily, inevitably
fosa *f.* grave, ditch; **—s nasales** nostrils
foso *m.* moat, ditch
fotografía *f.* photograph
fotográfico, -a photographic
fracaso *m.* failure
fractura *f.* breaking
frágil fragile, delicate
fragmento *m.* fragment, piece, bit
francés *m.* Frenchman; French language
francés, -a French
Francia *f.* France
franco *m.* franc
franco, -a frank, open
franco-prusiano, -a Franco-Prussian
francotirador *m.* franctireur, sniper
Franzosen *m. pl.* (*German*) Frenchmen
frasco *m.* bottle, flask
fraternidad *f.* fraternity
Frau *f.* (*German*) Mrs.
Fräulein *f.* (*German*) Miss
frecuencia *f.* frequency
frecuentar frequent, visit often
frecuente frequent
frecuentemente frequently
freír fry
frenético, -a frantic, frenzied
freno *m.* brake, bridle
frente *m.* front, battlefront; **al —** at the head, in front; **de —** facing, in the face; **hacer —** face, oppose; **— a** in front of, before, facing
frente *f.* forehead
fresco *m.* freshness
fresco, -a fresh, cool
frescura *f.* freshness
fríamente coldly
frío *m.* cold
frío, -a cold
frito, -a *see* **freír**
frontera *f.* frontier, border
frote *m.* rubbing, friction
fruncir frown, scowl; **el entrecejo fruncido** frowning
fruta *f.* fruit
frutal fruit, fruit-bearing
fruto *m.* fruit
fué *see* **ir** *and* **ser**
fuego *m.* fire; **hacer —** fire; **— nutrido** heavy fire
fuelle *m.* bellows
fuera out, outside, without, beyond
fuerte strong
fuerza *f.* force, power, strength
fuese *see* **ser** *and* **ir**
fuga *f.* flight
fugitivo, -a fugitive, fleeing

fuí, -iste, -é, -imos, -ísteis, -eron *see* **ir** *and* **ser**
fulgor *m.* glow, gleam
fulminante sudden, lightning-like
fumar smoke
función *f.* function, duty
funcionamiento *m.* working, operation
funcionar work, operate
funcionario *m.* functionary, official
funda *f.* cover, case
fundar found
fundente *m.* smelter, fusing agent
fúnebre funereal
furgón *m.* transport, track
furia *f.* fury
furioso, -a furious
fusil *m.* rifle
fusilamiento *m.* shooting, execution
fusilar shoot, execute
fusilería *f.* musketry
fútil trifling, insignificant
futuro, -a future

G

gabacho *m.* (*depr.*) Frenchman
galón *m.* stripe
galopar gallop
galope *m.* gallop
galvanizar galvanize, electrify, keep up
gallego, -a Galician (*native of Galicia, a region of Spain*)
gallina *f.* hen
gallinero *m.* chicken coop
gallo *m.* cock
gana *f.* inclination, desire; **—s** inclination, desire
ganar gain, win
garage *m.* garage
garganta *f.* throat
gatas; a — on all fours
gato *m.* cat
gaucho *m.* gaucho (*Argentine cowboy*)
gavilla *f.* sheaf
gemelos *m. pl.* field glasses
gemido *m.* groan, moan
gemir groan, moan
gendarme *m.* policeman, constable
gendarmería *f.* constabulary, police force
generación *f.* generation
general *m.* general
generalísimo *m.* generalissimo, commander-in-chief
generosidad *f.* generosity
generoso, -a generous
genial genial
gente *f.* people; **—s** people
gentío *m.* crowd
geográfico, -a geographical
Georgette *f.* (*French*) Georgette
germánico, -a German, Germanic
gesto *m.* gesture, look, expression
gigante *m.* giant
gigantesco, -a gigantic
gimiendo *see* **gemir**
gimió *see* **gemir**
gimnasta *m.* acrobat
glacial icy
globo *m.* globe, balloon
gloria *f.* glory
glorioso, -a glorious

gobernar govern
gobierna *see* **gobernar**
gobierno *m.* government
goce *m.* enjoyment
Goethe Johann Wolfgang von Goethe (*German writer*, 1749–1832)
golpe *m.* blow, stroke; **de —** all at once, at once, suddenly
golpear beat, strike, slap; **-se** come to blows
gorro *m.* cap
gota *f.* drop
gotear drip
gozquecillo *m.* (*dim. of* **gozque**) little dog
Graal *m.* Grail (*see Notes*)
gracia *f.* grace, charm, jest; **—s** thanks, thank you; **dar las —s** thank
gracioso, -a winsome, witty
grado *m.* degree
gran *see* **grande**
grana *f.* scarlet, scarlet cloth
grande great, large
granizada *f.* hailstorm
granja *f.* farm
grano *m.* grain
granujería *f.* band of rogues
granulado, -a granulous
grasa *f.* grease, fat
grato, -a pleasant
grave grave, serious
gravedad *f.* gravity
gravitar gravitate, weigh down
graznido *m.* caw
griego, -a Greek
grieta *f.* crack, groove
gris gray
gritar shout, cry, scream
grito *m.* cry, scream, shout, yell
grotescamente grotesquely
grotesco, -a grotesque
grueso, -a fat, thick; **artillería —** heavy artillery
gruñir growl, mutter
grupo *m.* group
guapo, -a handsome, good-looking
guardar guard, observe, have, put away
guardarropa *m.* wardrobe
guardia *m.* guard; **— forestal** forester
guardián *m.* guard
guarnecer garrison
guarnición *f.* garrison
guerra *f.* war
guerrero *m.* warrior
guía *m.* guide
guiar guide, direct
Guisa Guise (*a town in the northeast of France*)
guitarreo *m.* music of a guitar
gustar please, like
gusto *m.* taste, pleasure; **tener —** be glad

H

ha, has, han *see* **haber**
haber have; **— de** have to, must; *impers.* be; **(los) hay** there is, there are (some); **(los) había** there was, there were (some); **habrá** there will be; **hay que** it is necessary to, one must; **había que** it was necessary to
hábil clever, skillful
habilidad *f.* skill, ability
habitación *f.* room, habitation

habitante *m.* resident, inhabitant
hábito *m.* habit
habituar accustom, habituate
hablar speak, talk
habrá *see* **haber**
habría *see* **haber**
hacer do, make, cause; — + *inf.* have, cause; — **alto** make a halt, stop; — **caso** pay attention to, heed; — **el elogio** praise; — **falta** be necessary; — **frente** face, oppose; — **fuego** fire; — **un milagro** perform a miracle; — **política** take part in politics; — **una pregunta** ask a question; — **que** cause; — **regalos** give presents; — **saber** inform, notify; **-se** become; **se hizo el silencio** it became silent; **hace quince días** fifteen days ago; **hacía tres días que** three days ago; **hacía mucho tiempo que** for a long time; **¡ qué hacer!** what can we do!
hacia towards
hacienda *f.* estate, property
hacha *f.* ax
hachazo *m.* blow of an ax; **a —s** by blows of an ax
halagar flatter
hall *m.* (*Eng.*) hall
hallarse find oneself, be
hambre *f.* hunger; **sentir —** be hungry; **tener —** be hungry
harapo *m.* rag
haré *etc.* *see* **hacer**
hartazgo *m.* gorging, repletion
harto, -a satiated
hartura *f.* satiety
hasta until, as far as, up to, to; even; — **allí** so far; **¿ — dónde?** how far?
hay *see* **haber**
haya *etc.* *see* **haber**
hazaña *f.* deed, achievement, exploit
hecho *m.* fact, act
hecho *see* **haber**
hedor *m.* stench
helado, -a frozen
hembra *f.* female
herida *f.* wound
herido *m.* wounded man
herido, -a wounded, struck
herir wound
hermana *f.* sister
hermano *m.* brother
herméticamente hermetically
hermoso, -a handsome, beautiful
héroe *m.* hero
heroicidad *f.* heroism
heroico, -a heroic
heroísmo *m.* heroism
Herr (*German*) Mr.
heterogéneo, -a heterogeneous, mixed
hice, -iste *etc.* *see* **hacer**
hiciese *etc.* *see* **hacer**
hierba *f.* grass
hierbajo *m.* (*depr. of* **hierba**) weed
hierro *m.* iron
hígado *m.* liver
hija *f.* daughter
hijo *m.* son; **—s** children
hilo *m.* thread, wire
himno *m.* hymn
hinchado, -a swollen
hincharse swell
hipo *m.* hiccough

hispánico, -a Hispanic
hispanoamericano, -a Spanish American
historia *f.* history, story
histórico, -a historic
hizo *see* **hacer**
hogar *m.* home
hoguera *f.* fire
hoja *f.* leaf; shutter, door, each half of folding door
hojarasca *f.* leaves, foliage
hollín *m.* soot
hollinado, -a sooty
hombre *m.* man
hombro *m.* shoulder; **en —s** on the shoulders, on the back; **a —s** on the shoulders
homicida murderous
hondo, -a deep
honor *m.* honor
hora *f.* hour, time; **a estas —s** by this time; **a todas —s** constantly, all the time; **a última —** at the last moment
horda *f.* horde
horizontal horizontal
horizonte *m.* horizon
hormiga *f.* ant
hormiguero *m.* ant hill
horrendo, -a horrible, awful
horrible horrible
horror *m.* horror
horrorizado, -a horrified
hospital *m.* hospital; **— de sangre** field hospital
hostil hostile
hostilidad *f.* hostility
hoy to-day
hoyo *m.* pit, excavation, hole
hoz *f.* sickle
hubiese *etc.* *see* **haber**
hueco *m.* opening (*in a building, the windows and doors*)
huella *f.* track, footstep, trace, mark
huerta *f.* garden (*see Notes*)
huesoso, -a bony
huesudo, -a bony
Hugo Victor Hugo (*French writer,* 1802–1885)
huída *f.* flight
huír flee
hulano *m.* Uhlan (*Prussian cavalryman*)
humanidad *f.* humanity
humanizarse become human
humano, -a human
humeante smoking
humedad *f.* moisture, dampness
húmedo, -a humid, damp, moist
humildad *f.* humility, insignificance
humilde humble
humillación *f.* humiliation
humillar humble, humiliate
humo *m.* smoke
humor *m.* humor
hundir sink, bury; **-se** sink
húsar *m.* Hussar; **—es de la muerte** German "Death's Head" Hussars whose emblem is a skull and cross bones
huyendo *see* **huír**
huyo, huyes, huye, huyen *see* **huír**

I

iba *etc.* *see* **ir**
ida *f.* going; **—s y venidas** goings and comings
idea *f.* idea
ideal *m.* ideal

idéntico, -a identical
idioma *m.* language
ídolo *m.* idol
iglesia *f.* church
ignorancia *f.* ignorance
ignorar ignore
igual equal, uniform, the same; **— a** the same as, like
igualdad *f.* equality
igualmente equally, likewise, also
ilimitado, -a unlimited
ilustre illustrious
imagen *f.* image, vision, sight
imaginación *f.* imagination
imaginariamente in imagination
imaginario, -a imaginary
imaginarse imagine
imberbe beardless
imitar imitate
impaciencia *f.* impatience
impaciente impatient, eager
impalpable intangible, invisible, shadowy
impasible impassive
impedimenta *f.* encumbrance
impedir impede, prevent, hinder
impeler impel, push
impenetrable impenetrable
imperio *m.* empire
imperioso, -a imperious, haughty
impetuoso, -a daring, impetuous
impidiendo *see* **impedir**
implacable implacable, relentless
implorar implore, beg for
imponente imposing
imponer impose
importancia *f.* importance
importante important
importar matter, be of interest
imposibilitar prevent, impede
imposible impossible
impotencia *f.* impotence
impotente impotent, powerless
impresión *f.* impression
impresionable impressionable
impresionar make an impression on, affect, impress
improvisación *f.* improvisation
impuesto *see* **imponer**
impulsar impel, drive on
impulso *m.* impulse; **a — de, a —s de** under the influence of
impusiera *see* **imponer**
inabordable unapproachable
inanimado, -a inanimate
inaudito, -a unheard-of, amazing
incapaz incapable
incendiado, -a burned
incendiar set on fire, fire
incendio *m.* fire, burning
incertidumbre *f.* uncertainty, doubt
incesante incessant, endless, constant
incesantemente incessantly
incierto, -a uncertain
incineración *f.* cremation
inclinar bend, incline
incoherente incoherent
incólume unimpaired, sound
inconfundible unmistakable
inconsciencia *f.* unconsciousness
incorporación *f.* incorporation
incorporarse sit up; **— a** join
incorrección *f.* impropriety
incubar incubate
incurrir incur, fall
incursión *f.* incursion, raid
indefenso, -a defenseless
indefinido, -a indefinite

indemnizar indemnify
independencia *f.* independence
indeterminado, -a vague, indefinite
indicación *f.* indication
indicador, -a indicative
indicar indicate, point out
indicio *m.* intimation, indication
indiferencia *f.* indifference
indiferente indifferent
indignación *f.* indignation
indio *m.* Indian
indiscutible indisputable
individual individual
individualidad *f.* individuality, personality
indudable unquestionable, certain
indudablemente undoubtedly
industrial industrial
inercia *f.* inertia, lifelessness
inerte inert, lifeless
inesperado, -a unexpected
inevitable unavoidable, inevitable
inexorable inexorable, unyielding
inexplicable inexplicable, strange
inextinguible inextinguishable
infantería *f.* infantry
infeliz *m.* poor fellow
infeliz unfortunate, unhappy
inferior lower
infierno *m.* hell
infinito *m.* infinity; **hasta el —** endlessly
infinito, -a infinite, unending
infligir inflict
influencia *f.* influence
informe shapeless
infortunio *m.* misfortune
infructuoso, -a unfruitful
infundir infuse, inspire with, cause
ingeniería *f.* engineering
ingeniero *m.* engineer
ingenioso, -a ingenious, clever
Inglaterra *f.* England
inglés *m.* Englishman
inglés, -a English
ingresar enter
iniciado *m.* initiate, one initiated
iniciar begin; **-se** begin
iniciativa *f.* initiative
inmediaciones *f. pl.* neighborhood, vicinity
inmediatamente immediately
inmediato, -a immediate, close by, near at hand, obvious
inmenso, -a immense
inmiscuírse meddle
inmóvil immobile, motionless
inmovilidad *f.* immobility, motionlessness
inmovilizar render quiet, stop; **-se** remain quiet
innumerable innumerable
inocencia *f.* innocence
inocente innocent
inoportuno, -a inopportune
inquietamente uneasily
inquietante uneasy, disturbing
inquietar disturb, worry
inquieto, -a restless, uneasy
inquietud *f.* uneasiness
inquirir inquire
inscripción *f.* inscription
insecto *m.* insect
insignificante insignificant
insistencia *f.* insistence
insistir insist, continue
insolente insolent

inspirar inspire
instalar install, place
instantáneamente instantly, instantaneously
instantáneo, -a instantaneous, sudden
instante *m.* instant, moment
instintivamente instinctively
instinto *m.* instinct
institución *f.* institution
instrumento *m.* instrument
insufrible insufferable, unbearable
insultar insult
intacto, -a intact
intendencia *f.* administration; **jefe de la —** quartermaster
intensidad *f.* intensity
intenso, -a intense
intentar try, attempt
intento *m.* attempt
interés *m.* interest
interesante interesting
interesar interest, concern
interior *m.* interior, inside; contents
interminable interminable, endless
internacional international
interponerse interpose, intervene
interpretar interpret
interpuse, -iste, -o *etc. see* **interponer**
interrumpir interrupt
intervalo *m.* interval
intervención *f.* intervention
intervenir intervene, take part in
intervine, -iste, -o *etc. see* **intervenir**
interviniese *etc. see* **intervenir**
intimidad *f.* intimacy
intranquilidad *f.* uneasiness
introducción *f.* introduction
introducir introduce
introduje, -iste, -o *etc. see* **introducir**
intruso *m.* intruder
inundación *f.* flood, inundation
inútil useless
inutilidad *f.* uselessness, futility
inútilmente uselessly
invadir invade
invasor *m.* invader
invasor, -a invading
inverosímil inconceivable, improbable
inverosimilitud *f.* unlikelihood, improbability
invertido, -a inverted
invierno *m.* winter
invisibilidad *f.* invisibility
invisible invisible
invitación *f.* invitation
invitado *m.* guest
invitar invite
invocar invoke, ask for
ir go; **—** + *pres. part.* be, go on; **—** + *past part.* be; **— a** be going to, go and; **-se** go away, depart; **va mejor con mis gustos** agrees better with my tastes
irguió *see* **erguir**
ironía *f.* irony
irónico, -a ironic
irreal unreal
irresistible irresistible
italiano, -a Italian
izar raise, hoist

J

ja (*German*) yes
jactancioso, -a boastful, vainglorious, arrogant
jadeante panting
jadear pant
jadeo *m.* panting
japonés, -a Japanese
jardín *m.* flower garden
jarrón *m.* vase, urn
jefe *m.* chief, commander, officer
jerarquía *f.* hierarchy, rank
Jerusalén Jerusalem
jinete *m.* horseman
jirón *m.* strip, tatter (*of cloth*)
Joffre Joseph Jacques Joffre (*Marshal of France*, 1852–)
joven *m.* young man, youth; *f.* young woman, girl
joven young
joyel *m.* jewel
judicial legal, judicial
judío *m.* Jew
judío, -a Jewish
jugar play, gamble; **-se la vida** risk one's life
juguete *m.* toy
juicio *m.* judgment
Julio *m.* Julius
Junker *m.* (*German*) Junker
juntar join, unite; **-se** come together, associate; **-se con** join
junto, -a together, joined; **—s con** along with
junto a near, near to, beside
juramento *m.* oath, curse
justicia *f.* justice
justificación *f.* justification
juvenil juvenile, youthful
juventud *f.* youth
juzgar judge

K

Karl (*German*) Carl
Kameraden *m. pl.* (*German*) comrades
kepis *m.* kepi (*military cap*)
kilómetro *m.* kilometer (*equivalent to about* $\frac{5}{8}$ *of a mile*)
kimono *m.* kimono

L

la *f.* *see* **el**
la her, to her, it
labio *m.* lip
labor *f.* work
labrar work out
lacio, -a flabby, languid
lado *m.* side
ladrillo *m.* brick
ladrón *m.* thief
lagarto *m.* lizard
laguna *f.* pond
lágrima *f.* tear
lamentación *f.* lamentation, complaint
lamentar lament; **-se de** bewail, lament, regret
lamento *m.* lament
lamer lick
languidez *f.* languor
lanza *f.* lance
lanzar cast, throw, utter, let out; **-se** start, rush
largo, -a long, prolonged; **a lo — de** along
larguísimo, -a (*sup. of* **largo**) very long

larva *f.* larva
las *f. pl. see* **el**
las them, to them
lástima *f.* pity, compassion
latino, -a Latin
lavandera *f.* washerwoman
lazo *m.* bond
le him, it, you; to him, to her, to it, to you; for him, *etc.*
leal fair
lección *f.* lesson
lectura *f.* reading
lecho *m.* bed
leer read
legua *f.* league
lejano, -a far-away, distant
lejos far, afar; **a lo —** in the distance; **de —** from afar
lengua *f.* tongue
lentamente slowly
lente *f.* lens, eyeglass, glass; **—s de campaña** field glasses
lentitud *f.* slowness
lento, -a slow
leña *f.* firewood
les to them, them
letra *f.* letter
letrero *m.* sign
levadizo, -a; puente — drawbridge
levantar lift, raise, erect; **— los hombros** shrug the shoulders; **-se** get up, arise; rise
levantino, -a Levantine, Eastern
leve light, slight
levemente lightly, slightly
ley *f.* law
leyendo *see* **leer**
liberalidad *f.* liberality
libertad *f.* liberty, freedom
libertar free
librar free, liberate; **-se** escape, be free
libre free, open, empty; **aire —** open air
libremente freely
libro *m.* book
licor *m.* liquor
lienzo *m.* linen, cloth; side, piece (*of wall*)
ligar bind
ligereza *f.* lightness, nimbleness
ligero, -a slight, light
limitado, -a limited
limitar limit, confine
límite *m.* limit, end
limosna *f.* alms
limpiar clean, wipe
limpio, -a clean, clear; **— de** free from
línea *f.* line, outline; **soldado de —** regular infantry soldier
linterna *f.* lantern
líquido *m.* liquid
líquido, -a liquid
liso, -a smooth, flat
literario, -a literary
lívidamente lividly
lívido, -a livid, black and blue
lo *neuter, see* **el**; **— de** the matter of; **— que** that which, what
lo him, it
lóbrego, -a gloomy, black, dark
local local
localismo *m.* localism
loco *m.* madman
loco, -a mad, crazy, insane
locomotora *f.* locomotive
locuacidad *f.* loquaciousness
locura *f.* folly, madness
lograr achieve, win

lona *f.* canvas
Londres *m.* London
longitud *f.* length
lontananza *f.* distance; **en —** in the distance
Lorena *f.* Lorraine
los *m. pl. see* **el**
los them
luces *pl. of* **luz**
lucha *f.* fight, quarrel, struggle
luchador *m.* fighter
luchar fight, struggle; **— por la vida** struggle for existence
luego then, later; **— de** after
lugar *m.* place, site, occasion
Luis *m.* Louis; **— XV** Louis XV (*King of France*, 1710–1774)
Luisa *f.* Louise
lujo *m.* luxury, pomp
lujoso, -a luxurious, magnificent
luminoso, -a luminous, bright
Luna Benamor (*proper name, not to be translated*)
lustroso, -a glossy, shining
luz *f.* light; **a la —** by the light; **salir a —** come out

Ll

llama *f.* flame
llamado, -a so-called
llamar call; **— la atención** attract the attention
llamarada *f.* tongue of flame
llameo *m.* blaze
llaneza *f.* simplicity, straightforwardness
llano, -a flat
llanto *m.* weeping
llanura *f.* plain
llave *f.* key
llegada *f.* arrival
llegar arrive, reach; **— a** come to, come to the point of, succeed in; **— a ser** come to be, become
llenar fill
lleno, -a full; **— de** filled with
llevar carry, take, bring, bear; wear; take away, carry away; — + *past part.* have; **— a cabo** realize; **llevaban varios días de marcha** they had been walking for several days; **llevaban días y días caminando** they had been walking days and days; **llevaban sus caballos al paso** they were riding their horses at a walk; **-se** carry away, take away; **—se preso** carry off
llorar weep, cry
lloriquear whimper
llover rain
lluvia *f.* rain

M

madame (*French*) Mrs.
Madariaga (*family name*) Madariaga
madeja *f.* skein, coil
Madeleine Magdalene (*church in Paris*)
madera *f.* wood
madero *m.* piece of wood, beam
madre *f.* mother
madriguera *f.* den, burrow
madrileño, -a of Madrid
madurez *f.* ripeness
maestro *m.* teacher, master
magnánimo, -a magnanimous, generous

magnífico, -a splendid, magnificent
maja *f.* gaudy woman of the lower classes
majestuoso, -a majestic
mal *m.* evil, wrong
mal badly; — **cocido** half-baked
maldad *f.* wickedness
maldito, -a cursed, damned
malestar *m.* uneasiness, discomfort
maleta *f.* suitcase
malhumorado, -a bad humored
malicioso, -a malicious, mischievous, cunning
maligno, -a malign
malo, -a bad
mampara *f.* screen
manada *f.* drove
manar flow from, spring
manaza (*aug. of* **mano**) big hand
mancha *f.* spot
manchar spot, stain, soil
mandar command
mandíbula *f.* jaw
mandil *m.* apron
mando *m.* command; **al** — under the command
manejar handle, use
manga *f.* sleeve
manifestar state, show
manivela *f.* crank
mano *f.* hand; **a** — at hand
manotón *m.* blow with the hand
mansión *f.* mansion
mantel *m.* tablecloth
mantener maintain, keep
manto *m.* mantle
mantuvo *see* **mantener**
mañana *f.* morning
mañana to-morrow
mapa *m.* map
máquina *f.* engine, machine; — **de coser** sewing machine
mar *m.* sea, ocean
maravilloso, -a marvelous, wonderful
marca *f.* mark, sign
marcar mark, note, show; **-se** be pronounced, be marked
Marcelo *m.* Marcel
marcha *f.* march, travel, departure, speed
marchar march, go, move; **-se** go away, leave
Mare nostrum (*Latin*) Our Sea (*the Mediterranean Sea*)
marea *f.* tide
marfil *m.* ivory
marido *m.* husband
mariposa *f.* butterfly
Marne *m.* Marne (*French river, tributary to the Seine*)
marroquí Moroccan
marrullero, -a shrewd, crafty
marsellesa *f.* Marseillaise (*French national air*)
martillear pound, hammer
martilleo *m.* hammering
martillo *m.* hammer
martirio *m.* torture, suffering
más more, most; **los** — the majority; **¿ qué** — **?** what else? — **bien** rather; **no** — **que** only, merely
masa *f.* mass, cluster, bulk; **las —s** the masses; **en** — in a body
mascar chew
matar kill
materia *f.* material, matter, stuff
material material, physical

maternal maternal, of a mother
matinal morning
matorral *m.* thicket
matrimonio *m.* marriage, wedlock
mayo *m.* May
mayor greater, greatest, older
Mayor; — **General** Major General
me me, to me, myself
mecánico, -a mechanical
medallón *m.* medallion, locket
mediante through, by means of
médico *m.* doctor, physician
medida *f.* measure, limit, moderation
medio *m.* means, way; **en — de** in the midst of
medio, -a half; **media hora** half an hour; **media noche** midnight; **a media tarde** in the middle of the afternoon; **a media voz** in a low voice
medio half; **a — consumir** half-consumed
mediodía *m.* noon
meditación *f.* meditation
Mediterráneo *m.* Mediterranean Sea
mediterráneo, -a Mediterranean
medroso, -a fearful, timorous
mejilla *f.* cheek
mejor better, best; **lo —** the best; **lo — posible** the best possible way
mejoramiento *m.* betterment
melancolía *f.* melancholy
melancólico, -a melancholy
melena *f.* long hair; **—s** long hair
melodía *f.* melody
melódico, -a melodious
melodrama *m.* melodrama
memoria *f.* memory
mencionar mention
menor less, lesser, least, slightest; younger; smaller; **el —** the least
menos less; **al —** at least
menosprecio *m.* contempt, disdain
mental mental
mentalidad *f.* mentality
mentalmente mentally
mentir lie, tell a lie, deceive
mentira *f.* lie
menudo, -a small, slight
merced *f.* mercy; **a —** at the mercy
merecer deserve
merodeador *m.* marauder
mes *m.* month
mesa *f.* table
metafísico, -a metaphysical
metal *m.* metal
metálico, -a metallic
meter put, place, push in; **-se en** go into
metódico, -a methodical, steady
método *m.* method
mezcla *f.* mixture
mezclar mix; **-se** mix, mingle, intervene
mezcolanza *f.* melée, intermingling
mezquino, -a poor, miserable, petty, mean
miedo *m.* fear; **tener —** be afraid
miembro *m.* limb, member
mientras while; **— tanto** meanwhile
mil thousand

milagro *m.* miracle
milagroso, -a miraculous
militar *m.* soldier
militar military
militarismo *m.* militarism
militarmente in military fashion
millar *m.* thousand
millón *m.* million
millonario *m.* millionaire
mímica *f.* mimicry
minar mine
minuciosamente painstakingly
minuto *m.* minute
mío, -a, -os, -as mine, of mine, my
mirada *f.* look, glance
miramiento *m.* consideration, regard
mirar look at, look, gaze
miserable *m.* poor wretch
miserable miserable, unhappy
miseria *f.* misery, disgrace
misión *f.* mission
mismo, -a same, very, self; **lo — que** the same as, as much as, like
mismo even, very; **allí —** right there
misteriosamente mysteriously
misterioso, -a mysterious
mitad *f.* half, middle; **en — de** in the middle of
mitin *m.* political meeting
mitra *f.* miter
mocetón *m.* (*aug. of* **mozo**) strong youth
mocetona *f.* (*aug. of* **moza**) strong young woman
mochila *f.* knapsack
moda *f.* fashion, style, way
modelo *m.* model
moderar moderate
moderno, -a modern
modestia *f.* modesty
modificar modify, change
modisto *m.* modiste, dressmaker
modo *m.* way, mode, manner; **a — de** like; **de este —** in this way
mohoso, -a moldy
molestar trouble, bother, annoy
molino *m.* mill
Moltke Helmuth K. B., Count von Moltke (*Prussian Marshal*, 1800–1891)
Moltkecito *m.* (*dim. of* **Moltke**) little Moltke
momentáneamente momentarily, for the moment
momentáneo, -a momentary
momento *m.* moment; **de un — a otro** at any minute
momia *f.* mummy
monarca *m.* monarch
monarquía *f.* monarchy
moneda *f.* coin
monja *f.* nun
monóculo *m.* monocle
monotonía *f.* monotony
monótono, -a monotonous
monstruo *m.* monster
monstruoso, -a monstrous, horrible, shocking
montaña *f.* mountain
montar get into; mount, ride horseback; **caballo de —** saddle horse
montículo *m.* mound
montón *m.* heap, mass, crowd; **en —** in a heap, crowded; **a —es** in heaps
montura *f.* mount; harness; saddle

monumental monumental, massive, great
moral moral
mordisco *m.* bite
moreno, -a brown, dark
moribundo, -a dying
morir die; **han muerto a mi marido** they have killed my husband
moro *m.* Moor
mortal mortal
mortífero, -a deadly
mortificante mortifying
mosca *f.* fly
moscardón *m.* gadfly
mostacho *m.* mustache
mosquito *m.* gnat
mostaza *f.* mustard
mostrar show; **-se** appear
motear dot
motivo *m.* motive, reason
motor *m.* motor, engine
mover move; **-se** move
movible movable, moving
movilización *f.* mobilization
movimiento *m.* movement
mozo *m.* youth, lad, manservant
mozo, -a young
muchacha *f.* girl
muchacho *m.* boy
muchedumbre *f.* crowd, multitude
mucho, -a much, a great deal of; **—s** many
mucho much, a great deal; **conocer —** know well
mudanza *f.* moving
mudo, -a mute, silent
mueblaje *f.* furniture
mueble *m.* piece of furniture; **—s** furniture
muere *see* **morir**
muerte *f.* death
muerto *m.* dead, dead person
muerto, -a dead
muestra *f.* proof, evidence
mugre *f.* dirt, grime
mujer *f.* woman, wife
múltiple multiple, manifold
multitud *f.* multitude, crowd
mundo *m.* world; **Nuevo M—** New World; **todo el —** everybody
municiones *f. pl.* ammunition
municipal municipal, of the city
municipio *m.* municipality, community
Munich Munich (*city of Germany*)
munificencia *f.* munificence, generosity
muñeca *f.* wrist
muralla *f.* rampart, wall
murmullo *m.* murmur
murmurar murmur
muro *m.* wall
museo *m.* museum
musgo *m.* moss
música *f.* music
músico *m.* musician
mutación *f.* change, change *or* shift of scene (*theatrical*)
mutismo *m.* silence
mutuamente mutually
muy very

N

nacer be born
naciente growing, beginning
nación *f.* nation
nacional national

nada nothing, anything; — **de** no
nadador *m.* swimmer
nadie no one, nobody, anybody
naranja *f.* orange
naranja orange-colored
naranjo *m.* orange tree
nasal nasal; **fosas —es** nostrils
natación *f.* swimming
natural natural
naturaleza *f.* nature
náufrago *m.* shipwrecked person
nauseabundo, -a nauseating
navegar sail, voyage
necesario, -a necessary
necesidad *f.* need, necessity
necesitar need, have to; be necessary
negar deny; **-se** refuse
negativa *f.* denial, refusal, negative
negativamente negatively
negativo, -a negative
negligencia *f.* negligence, indifference
negocio *m.* business; **—s** business
negrear look black
negro, -a black
negruzco, -a blackish, swarthy
nein (*German*) no
nerviosamente nervously
nervioso, -a nervous
nervudo, -a sinewy
neutral neutral
ni neither, nor; not even, not
nidada *f.* brood
nieto *m.* grandson, grandchild
nieve *f.* snow
nimbo *m.* halo, nimbus
ninguno, -a none, not any, any, no
niña *f.* girl
niño *m.* boy, child; **—s** children
no no, not
noble noble
noción *f.* idea, notion
nocturno, -a nocturnal
noche *f.* night
Noé *m.* Noah
nombre *m.* name; **— social** commercial name
normal normal
normalmente normally
Norte *m.* North
nosotros we, us
notar note, notice
noticia *f.* notice, news; **—s** news, information
novela *f.* novel, romance
novelista *m.* novelist
nube *f.* cloud
nuestro, -a our, ours, of ours; **el nuestro, la nuestra** *etc.* ours; **los nuestros** our men
nuevo, -a new; **de —** again
número *m.* number
numeroso, -a numerous
nunca never
nutrido, -a full of; **fuego —** heavy fire

O

o or
obedecer obey
obediencia *f.* obedience
obediente obedient
obesidad *f.* obesity
obeso, -a obese, fat
objeto *m.* object, article, thing
oblicuo, -a oblique, slanting
obligar oblige, make
obra *f.* work

obrar work, act
obscurecer darken; **-se** grow dark, darken
obscuridad *f.* darkness
obscuro, -a obscure, dark, dull
obsequio *m.* gift, offering
obsequiosidad *f.* obsequiousness, attentions
observatorio *m.* observatory
obstáculo *m.* obstacle
obstruír obstruct, block
obtendría *see* **obtener**
obtener obtain, achieve, win
obús *m.* howitzer, shell gun; shell
ocasión *f.* occasion; **de —** emergency, of the occasion
ocaso *m.* sunset
octogenario *m.* octogenarian
ocultar hide, conceal
oculto, -a hidden, concealed
ocupación *f.* occupation, tenure
ocupado, -a busy, busied
ocupante *m. and f.* occupant
ocupar occupy
ocurrir occur, happen; **lo ocurrido** that which happened
ocho eight
odiado, -a hated
odiar hate
odio *m.* hate, hatred
ofensiva *f.* offensive
oficial *m.* officer
ofrecer offer, show
ofrecimiento *m.* offer
ofrenda *f.* offering
ofrezca *see* **ofrecer**
oiga *see* **oír**
oír hear
ojeada *f.* look, glance
ojillo *m.* (*dim. of* **ojo**) little eye
ojo *m.* eye
ola *f.* wave
oleada *f.* wave, billow
oleaje *m.* swell, surge
oler smell; **— a** smell of
olfato *m.* sense of smell
oliscar sniff
olor *m.* odor, smell
olvidar forget; **-se de** forget
ómnibus *m.* bus
ondear float, wave
ondulación *f.* undulation
opaco, -a opaque, dull, low
Ópera *f.* Opera House
operación *f.* operation, process
operador *m.* surgeon
opinión *f.* opinion
oponer oppose; **-se a** oppose, resist
oportunidad *f.* opportunity, advisability
oportuno, -a opportune, right
oposición *f.* opposition
opresión *f.* oppression
óptico, -a optic, visible
optimismo *m.* optimism
opuesto, -a opposite
opulencia *f.* opulence, wealth
oquedad *f.* hollow
oración *f.* prayer
orador *m.* orator
oratoria *f.* oratory
orden *m.* order; **por —** in the order
orden *f.* command
ordenado, -a ordered, orderly
ordenanza *m.* orderly
ordenar order, command
ordeñar milk
ordinario, -a ordinary
oreja *f.* ear

orfeonista *m.* member of chorus
organismo *m.* organism, organization
organizar organize
órgano *m.* organ
orgía *f.* orgy
orgullo *m.* pride
orgulloso, -a proud
oriental *m.* Oriental
oriental oriental
Oriente *m.* the Orient
orificio *m.* opening, hole
origen *m.* origin
original original
originar originate, produce, cause
originario, -a native, inborn, original
orilla *f.* bank
oro *m.* gold
osamenta *f.* bony framework, bones
osar dare
óseo, -a bony
ostentar display
ostentoso, -a showy, ostentatious
otro, -a other, another; **—a vez** again
oveja *f.* sheep
oxidado, -a oxidized
oxidador producing rust *or* oxidation
oyeron *see* **oír**
oyó *see* **oír**

P

pabellón *m.* pavilion, lodge
pacífico, -a peaceful
padre *m.* father
pagar pay
página *f.* page
país *m.* country; **del —** natives
paisaje *m.* landscape
paisano *m.* civilian
paja *f.* straw
pajar *m.* straw stack
pájaro *m.* bird; **— de pelea** bird of prey
pala *f.* spade
palabra *f.* word
paladear taste, relish
paladín *m.* paladin
palidecer grow pale
palidez *f.* pallor
pálido, -a pale, pallid
palo *m.* stick; blow (*of stick*); **a —s** with blows
palomar *m.* dovecote
palpitación *f.* palpitation
pámpano *m.* tendril
pan *m.* bread, loaf of bread
pánico *m.* panic
pantalón *m.* trousers; **—es** trousers
papel *m.* paper
paquete *m.* package, bundle
par equal; **de — en —** wide open
para for, to, in order to; towards; **— que** in order that, that; **¿ — qué?** why?
parada *f.* parade; stop; **punto de —** (cab)stand
paradero *m.* whereabouts
paralizar paralyze
parapetado, -a hidden behind a parapet, barricaded
parcial partial
parecer appear, seem; **le pareció oír** he seemed to hear
parecido *m.* resemblance

pared *f.* wall
paredón *m.* ruined wall
pareja *f.* pair, couple
parentela *f.* kin, relatives
parentesco *m.* relationship, kinship
paréntesis *f.* parenthesis
pariente *m.* relative
París *m.* Paris
parisién *m. and f.* Parisian
parisiense *m. and f.* Parisian
parpadeo *m.* blinking, winking
párpado *m.* eyelid
parque *m.* park
parte *f.* part, portion; place, side; direction; **de — de** at the behalf of; **en su mayor —** for the most part; **por su —** on their part; **de todas —s** from everywhere; **en todas —s** everywhere; **por la — de** toward, in the direction of; **por todas —s** everywhere, from everywhere; **tener — en** have a hand in
particular private
participación *f.* participation, share
participar share, partake
partida *f.* departure
partido *m.* party
partir start, leave; divide; **a — de** since
pasado *m.* past
pasaporte *m.* passport
pasar pass, spend, cross; occur, happen; **—lo** get along
pasear take a walk, stroll; **-se** walk around, stroll
paseo *m.* walk, stroll
pasión *f.* passion
pasividad *f.* passivity
pasivo, -a passive, inactive
paso *m.* passage, step, passing, way; **al —** at a walk; **dar —** make way
Passy Passy (*a quarter in Paris*)
pastilla *f.* lozenge
pasto *m.* pasture
pastor *m.* shepherd
pastoril pastoral
pata *f.* foot, leg (*of animal*)
patada *f.* kick
pateo *m.* stamping
paternalmente paternally
pátina *f.* patine, color acquired by objects through age and exposure
patraña *f.* falsehood, invention
patria *f.* country, fatherland
patriarca *m.* patriarch
patriarcal patriarchal
patriarcalmente like a patriarch
patrio, -a native
patriota *m.* patriot
patriótico, -a patriotic
pavesa *f.* spark, ember
pavimento *m.* flooring
pavo *m.* turkey, peacock
pavor *m.* terror
pavoroso, -a terrifying
paz *f.* peace
pecho *m.* breast, bosom
pedantesco, -a pedantic
pedazo *m.* piece, bit
pedir beg, pray, ask for
pegajoso, -a annoying, troublesome, persistent
pegarse cling, stick to
peinado *m.* coiffure, head dress
peinar comb
peldaño *m.* stair, step

pelea *f.* battle, fight
pelear fight
peligro *m.* danger
peligroso, -a dangerous
pelo *m.* hair, skin, hide
pelota *f.* ball
pelotón *m.* squad, platoon
pena *f.* pain, suffering
penacho *m.* crest, ornamental tuft (*on the canopy of a bed*)
pender hang
pendiente *f.* slope
pendiente hanging
penetrar enter, penetrate
penoso, -a painful
pensamiento *m.* thought
pensar think; — **en** think of
peón *m.* peon, day laborer, workman; — **de cuadra** stable boy
peonza *f.* spinning top
pequeñín *m.* (*dim. of* **pequeño**) little fellow
pequeño *m.* child, little one; **—s** children, little ones
pequeño, -a small, little
pequeñuelo *m.* (*dim. of* **pequeño**) little fellow
perceptible perceptible
percibir perceive
percha *f.* pole
perder lose
pérdida *f.* loss
perdón *m.* pardon
perdonar pardon, forgive, spare
perecer perish
perezoso, -a lazy
perfecto, -a perfect
perfil *m.* profile
perfilar project, outline
perforar perforate
perfumado, -a perfumed
perfume *m.* perfume
periódico *m.* newspaper
período *m.* period
perjudicar harm, injure
perla *f.* pearl
permanecer remain
permitir permit, allow
pero but
perro *m.* dog
persa Persian
persecución *f.* persecution, chase, pursuit
perseguidor *m.* pursuer
perseguir pursue
persistencia *f.* persistency, persistence
persistir persist, continue
persona *f.* person, figure; **—s** people
personaje *m.* personage, person of importance, figure, character
personal *m.* personnel, staff
personal personal
pertenecer belong
perteneciente pertaining, belonging
perturbar disturb, upset
perversión *f.* perversion
pesadez *f.* weight, heaviness
pesadilla *f.* nightmare
pesado, -a heavy
pesar *m.* regret; **a — de** in spite of (the fact)
pesar weigh
pescante *m.* driver's seat
pescuezo *m.* neck
pesebre *m.* manger
pesimismo *m.* pessimism
peso *m.* weight
peste *f.* pestilence, plague

petición *f.* petition, plea, request
piano *m.* piano; — **de cola** grand piano
piar chirp
pico *m.* pick
picotear pick at
pie *m.* foot; **a** — on foot; **al** — near, close to; **en** — standing; **por su** — walking; — **a tierra** dismounted
piedad *f.* pity, compassion
piedra *f.* stone
piel *f.* skin
pierna *f.* leg
pieza *f.* piece (*of game, of artillery, etc.*), room
pífano *m.* fife
piltrafa *f.* scrap of meat
pintar paint
pintor *m.* painter
pintoresco, -a picturesque
pintura *f.* paint, picture
piquete *m.* detachment
pirámide *f.* pyramid
pisar step on
piso *m.* floor, story; — **bajo** ground floor; **último** — top floor
pisotear tread
pitanza *f.* food, ration
pizarra *f.* slate, piece of slate
placer *m.* pleasure
plácido, -a placid, quiet
plancha *f.* side, plate
planeta *f.* planet
plano, -a flat; **tambor** — snare drum
planta *f.* plant
plata *f.* silver
plataforma platform; — **de carga** flat car
plateado, -a silvery
plato *m.* plate
plaza *f.* public square, square
plazo *m.* time, term
plazoleta *f.* little square, level open space
plegadizo, -a folding
pleito *m.* suit
plenitud *f.* plenitude
pleno, -a full
plomo *m.* lead
pluma *f.* pen
población *f.* town
poblar populate, fill
pobre *m. and f.* poor person
pobre poor
poco, -a little; *adv.* little, a little, not very; —**s** few, a few; **al** — **rato** in a little while; **un** — **de** a little; — **a** — little by little; **a las pocas horas** a few hours later
poder *m.* power, force
poder be able, can, may; **no** — **más** be unable to stand more; **ya no puede más** he can stand no more; **no podía haber** there could not be
poderoso, -a powerful
podrá *see* **poder**
podredumbre *f.* putrefaction
podría *see* **poder**
poesía *f.* poetry
poeta *m.* poet
poético, -a poetic
Poincaré Raymond Poincaré (*President of the French Republic*, 1860–   )
polaina *f.* legging
política *f.* politics
político *m.* politician

político, -a political
polvo *m.* dust
pólvora *f.* gunpowder
polvoriento, -a dusty
pomada *f.* pomade
pondré *etc. see* **poner**
poner put, place; — **un nombre** give a name; **puso el gesto compungido** made a sorrowful expression; **-se** put on; **-se en marcha** start out
pontonero *m.* pontoon builder
popular popular
popularidad *f.* popularity
por for, by, with, to, through, on, on account of (being), because of, along, in, as; — **enorme que fuese** however horrible it might be; — **más que** however much; — **no ser menos** not to be less; — **qué** why, for what reason; **¿ — qué?** why? **no tener — qué** have no reason to; — **toda respuesta** as his only answer
porcelana *f.* porcelain
porción *f.* portion, number
porque because, in order that, for
portador *m.* carrier, bearer
portero *m.* janitor; porter, footman
portezuela *f.* little door, carriage door
porvenir *m.* future
posar put, settle, fix, rest
poseer possess
posesión *f.* possession
posesionar take possession
poseyese *see* **poseer**
posibilidad *f.* possibility
posible possible
posición *f.* position, place
posterior later, posterior
postura *f.* position, posture
pradera *f.* meadow
prado *m.* meadow
precaución *f.* precaution
preceder precede, go before
preciosidad *f.* treasure, valuable *or* beautiful thing
precioso, -a precious, fine
precipitación *f.* precipitancy, haste
precipitado, -a hasty, headlong
precisamente precisely, just
predilección *f.* predilection, preference
predominar predominate
preferencia *f.* preference
preferible preferable
prefiero *etc. see* **preferir**
prefirió *see* **preferir**
pregunta *f.* question
preguntar ask, question
prehistórico, -a prehistoric
prejuicio *m.* prejudice
prenda *f.* garment
preocupación *f.* worry
preocupar worry; **-se** worry; **-se de** worry about
preparar prepare
preparativo *m.* preparation
presa *f.* prey
presencia *f.* presence
presencial present; **testigo —** eyewitness
presenciar witness, be present at
presentación *f.* presentation, introduction
presentar introduce, present; **-se** appear

presente *m.* present, gift
presentimiento *m.* presentiment
presentir divine, feel, have a presentiment
presidente *m.* president
presintiese *see* **presentir**
presión *f.* pressure
preso *m.* prisoner
preso, -a taken, imprisoned
prestar lend; — **atención** pay attention
prestigio *m.* prestige
pretender try
pretensión *f.* pretension, claim
primer, primero, -a first; **lo** — the first thing
primeramente at first
primitivo, -a primitive, original
primogénito *m.* first-born, eldest child
principal principal
príncipe *m.* prince
principio *m.* beginning, principle; **a —s** at the beginning
prisión *f.* imprisonment
prisionero *m.* prisoner
privación *f.* privation
privado, -a private
privilegio *m.* privilege
probar try
problema *m.* problem
procedente de coming from
proceder come, proceed
procedimiento *m.* process
procesar arraign, sue
proclamar proclaim
procurar try, procure
pródigamente lavishly
prodigar lavish
prodigioso, -a prodigious
producción *f.* production
producir produce
producto *m.* product
produje *etc. see* **producir**
proferir pronounce, utter, give forth
profesional professional
profesor *m.* professor
profiriendo *see* **proferir**
profundamente profoundly
profundidad *f.* depth
profundo, -a profound, deep
progreso *m.* progress
prohibición *f.* injunction
prole *f.* progeny, offspring
prolongar elongate; **-se** prolong, continue
prometido *m.* fiancé
prontitud *f.* rapidity, promptness, quickness
pronto, -a prompt, ready; — **a** quick to, ready to
pronto soon; **de** — suddenly
propaganda *f.* propaganda
propagandista *m.* propagandist
propicio, -a propitious, favorable
propiedad *f.* property; **—es** property
propietario *m.* owner, proprietor
propio, -a own
proponerse determine, make up one's mind
proporcionar furnish, supply, cause
propósito *m.* intention, purpose; **a** — by the way
prorrumpir break forth
proseguir go on, continue
prosiguió *see* **proseguir**
protección *f.* protection
protector *m.* protector, patron
protector, -a protecting

proteger protect
protesta *f.* protest
protestante protestant
protestar protest; — **de** disapprove
proveedor *m.* purveyor
provenzal Provençal
provincia *f.* province; **de —, de —s** of the provinces, provincial
provincial provincial
provocar provoke, cause, arouse
proximidad *f.* proximity
próximo, -a near, close, close to
proyectil *m.* projectile, shell
prudencia *f.* prudence
prudente prudent, wise
prueba *f.* proof
prusiano *m.* Prussian
psicológico, -a psychological
púa *f.* prong, spike
público *m.* public
público, -a public
pude *etc. see* **poder**
púdico, -a modest
pudiendo *see* **poder**
pudiese *see* **poder**
pueblecito *m.* (*dim. of* **pueblo**) hamlet, village
pueblo *m.* nation, people; village, town, city
puede *see* **poder**
puente *m.* bridge
pueril childish, innocent
puerta *f.* door
pues for, since
puesta del sol *f.* sunset
puesto, -a *see* **poner**; — **de mandil** wearing aprons
pulpa *f.* pulp
pulsera *f.* bracelet
punta *f.* point
puntapié *m.* kick
puntería *f.* aim
puntiagudo, -a pointed, sharp
punto *m.* point, spot; — **de parada** (cab)stand
punzante pungent, penetrating
puñado *m.* handful
puñetazo *m.* punch, blow with the fist
puño *m.* fist
puramente purely
púrpura *f.* purple
pusieron *see* **poner**
puso *see* **poner**

Q

que who, which, that, whom; **el, la, los, las** — who, which, that; **al** — whom; **lo** — that which, what
qué which, what; **¿ —?** what? **¡ — de!** how many!
que than, as
que that; **a** — for, in order that; to the fact that
quedar remain, be left, be; — **que hacer** be left to do; **-se** remain, stay
queja *f.* complaint
quejarse complain
quejumbroso, -a plaintive, complaining
quema *f.* fire, burning
quemar burn
querella *f.* quarrel
querer want, wish, desire, expect; — **decir** mean; **¡ qué quiere usted!** what do you expect!
querido, -a dear, beloved
queso *m.* cheese

quien who, whom; he who, one who; some who; **¡quién!** who!
quiera *see* **querer**
quiero *etc. see* **querer**
quieto, -a quiet
quince fifteen
quinientos, -as five hundred
quise *etc. see* **querer**
quizá perhaps

R

rabia *f.* rage
rabioso, -a mad, furious
racial racial
racimo *m.* bunch, cluster
ración *f.* ration
radical radical, fundamental
ráfaga *f.* gust, blast
raíz *f.* root; **a — de** immediately after
rajar split, crack
rama *f.* branch
ramaje *m.* foliage
rana *f.* frog
rancho *m.* ranch
rapado, -a threadbare
rapar shave
rape; al — to the skin
rápidamente rapidly
rapidez *f.* rapidity
rápido, -a rapid, swift
raro, -a rare
ras; a — de on a level with; **a — de tierra** on a level with the ground
rasgar tear
rasgo *m.* feature
rasgón *m.* tearing
rastra; a la — dragging; **a —s** dragging; **llevar a —s** drag
rastro *m.* trail, scent, track
rastrojo *m.* stubble
rato *m.* while
raya *f.* line, stripe; **a —s** striped
rayar stripe, line; *see Notes*
rayo *m.* ray
raza *f.* race
razón *f.* reason
razonable reasonable, sensible
razonador *m.* reasoner
razonador, -a reasoning, thoughtful
reacción *f.* reaction
reaccionario, -a reactionary
realidad *f.* reality
realista realistic
realizar realize, effect
realmente really
reanimar revive, reanimate
reanudar resume
reaparecer reappear
rebaño *m.* herd, band
rebato; tocar a — sound the alarm
rebeldía *f.* revolt, rebellion
rebotar bounce
recelo *m.* suspicion
recibimiento *m.* parlor, reception room
recibir receive
recién recently, newly
reciente recent
reclamación *f.* claim
reclamar demand
recluír shut up, confine
recobrar resume
recoger gather, gather in, gather up, pick up, catch
recomendación *f.* recommendation, influence
reconciliar reconcile

reconocer recognize, admit, acknowledge
recordar remember, recall
reconstituír reconstitute
reconstituyendo *see* **reconstituír**
recorrer go over, walk through
recosido, -a mended
rectangular rectangular
rectángulo *m.* rectangle
rectificación *f.* rectification
rectilíneo rectilinear, straight
recto, -a straight
recuerdo *m.* recollection, memory, remembrance
rechinar gnash, creak
redoblar redouble
redoble *m.* roll of the drum
redondel *m.* disk
redondo, -a round
reemplazar replace
referencia *f.* hearsay, report
referirse a refer to
reflejar reflect
reflejo *m.* reflection
reflexión *f.* reflection
reflexivo, -a reflective
reflujo *m.* ebb
reformador, -a reform
reforzar reënforce
refresco *m.* refreshment; **tropa de —** relief troop, fresh troops
refugiado, -a one who has fled *or* taken refuge
refugiarse take refuge
refugio *m.* refuge, shelter
regalo *m.* present, gift
regatear bargain
regimiento *m.* regiment
regio, -a royal
región *f.* region
regional regional
regir rule
regla *f.* rule
reglamentar regulate
regletear stripe
regocijado, -a joyful, rejoicing, enjoying
regocijo *m.* joy, happiness
regresar return
reguero *m.* streak, trail
rehacer form again, remake
rehizo *see* **rehacer**
Reichstag *m.* German Congress
reinar rule, reign
reincorporarse rejoin
reír laugh; **— de** laugh at; **-se de** laugh at; **— a carcajadas** shout with laughter
relación *f.* relation; **en malas —es** on bad terms
relampaguear lighten
relato *m.* story, narration
relieve *m.* relief (*in sculpture*)
religioso, -a religious
rematar finish off, crown
remesa *f.* shipment, consignment
remolacha *f.* beet
remolino *m.* whirlwind
remontar rise, ascend; **-se** rise
remordimiento *m.* remorse
remoto, -a remote
remover remove, move
renacer begin again, renew, revive, be renewed
Renán Ernest Renan (*French writer*, 1823–1892)
rencor *m.* rancor, hatred
rencoroso, -a embittered, resentful
renovar renew
renunciar renounce

reparar notice, observe
repartir distribute
repelente repelling
repeler repel
repente; de — suddenly
repentinamente suddenly
repentino, -a sudden
repercutir reverberate, reëcho
repetido, -a repeated; **repetidas veces** repeatedly
repetir repeat
repiquetear tinkle, clink
repitió *see* **repetir**
repleto, -a full of, replete, full
réplica *f.* reply
repliegue *m.* folding, falling back; fold, recess, rises and hollows in the surface of the ground
reponer respond, reply; restore; **-se** recover
representar represent; **-se** imagine
reproducción *f.* reproduction
reproducir reproduce
reproductor *m.* sire, male breeding animal
reptil *m.* reptile
república *f.* republic; **R— Argentina** Argentine Republic
republicano, -a republican
repuesto *m.* supply
repuse *etc.* *see* **reponer**
requerir require, take
requiriendo *see* **requerir**
requisar requisition
res *f.* head of cattle
resarcirse make up for
resbalar slip, slide, glide
reseco, -a dried up
reserva *f.* reserve
reservar reserve
resguardar protect
residencia *f.* residence
residuo *m.* remainder, remains, remnant
resignación *f.* resignation
resistencia *f.* resistance
resistir resist; **-se** resist, refuse
resolución *f.* resolution, decision
resonar resound
resorte *m.* spring
respeto *m.* respect
respiración *f.* respiration, breathing; atmosphere
respiradero *m.* air hole, means of ventilation
respirar breathe
resplandor *m.* glow
responder respond, answer
responsabilidad *f.* responsibility, accountability
responsable *m.* guilty party
respuesta *f.* answer
restablecer reëstablish, establish
restante remaining
restar remain
restaurant *m.* restaurant
resto *m.* rest, remnant; **—s** remains
resuelto, -a resolved, determined
resultado *m.* result
resultar result, be
resurgir rise again
resucitar resuscitate, come to life, bring to life
retaguardia *f.* rearguard; **a —** in the rear
retardar retard, delay; **-se** delay, linger
retener retain, keep
retirada *f.* retreat

retirarse retreat, retire, draw back, withdraw, leave
retorcer twist
retorcido, -a twisted
retórico, -a rhetorical
retornar return
retraso *m.* delay; **con** — late
retrato *m.* portrait, picture
retroceder retreat, draw back
retroceso *m.* retirement, withdrawal
reunión *f.* meeting
reunir gather together
revelación *f.* revelation
revelar reveal
revés *m.* reverse; back-handed blow; **al** — wrong, in the wrong order
revolcar wallow, writhe
revoloteo *m.* swarming, fluttering
revolución *f.* revolution, revolt
revolucionario *m.* revolutionary
revólver *m.* revolver
revolver mingle, mix up
revuelo *m.* flight, fluttering
revuelto, -a (*see* **revolver**) mixed up, intermingled
rey *m.* king
rezagado *m.* straggler
rezumamiento *m.* trickling, oozing
rico *m.* rich man; **—s** the rich
rico, -a rich
riego *m.* watering
riel *m.* rail; **—es** track
rienda *f.* rein
riendo *see* **reír**
rieron *see* **reír**
rígido, -a rigid, stiff
rincón *m.* nook, corner
riñón *m.* kidney
río *m.* river
riqueza *f.* wealth, riches; **—s** riches
risa *f.* laugh, laughter
risotada *f.* guffaw, horse laugh
ristra *f.* string, chain
robar rob of
roble *m.* oak
robo *m.* robbery
robusto, -a robust, sturdy
roca *f.* rock
rociada *f.* sprinkling, wetting, shower
rociar spray
rocío *m.* dew
rodaja *f.* small disk
rodante moving, rolling
rodar *m.* roll, rolling
rodar roll; rumble
rodear surround
roedor *m.* rodent
rogar ask, beg
rojo *m.* red color
rojo, -a red
Romano *m.* Roman
romanza *f.* aria, sentimental song
romper break; **-se** break
roncar snore, rumble
ronco, -a hoarse
ronda *f.* circle
rondar go around, walk around
ronquido *m.* snore
ropa *f.* clothes; — **blanca** underclothing
rosa *f.* rose; **de color** — pink
rosario *m.* rosary, column
Rosas Juan Manuel Ortiz de Rosas (*Dictator of the Argentine Republic*, 1793–1877)

rostro *m.* face
roto, -a (*see* **romper**) torn
rótulo *m.* sign
rotundamente flatly
rotundo, -a round, sonorous
rotura *f.* break, crack
rubicundo, -a ruddy
rubio *m.* blond color
rubio, -a golden
rudamente roughly, rudely
rudeza *f.* rudeness, uncouthness, roughness
rudo, -a rough, brusque
rue *f.* (*French*) street; — **de la Paix** (*name of a street in Paris*)
rueda *f.* wheel
ruega *see* **rogar**
rugido *m.* roar
rugir roar
ruido *m.* noise
ruidoso, -a noisy
ruina *f.* ruin
rumoroso, -a noisy
ruso, -a Russian
rústico *m.* rustic, peasant
rutina *f.* force of habit, routine

S

sábana *f.* sheet
saber know, know how
sabio, -a learned, scholarly
sable *m.* saber
saborear relish, enjoy
sabré *etc.* *see* **saber**
sacar take out, draw out, get out, get from, obtain, put out, drag out; reveal, show; — **a luz** bring to light; — **los ojos** scratch out the eyes
sacerdote *m.* priest
saciar satiate, surfeit
saco *m.* sack
sacrificar sacrifice
sacrificio *m.* sacrifice
sacudida *f.* shaking
sacudir shake
sagrado, -a sacred
salida *f.* exit; — **de la población** edge of the town
salir go out, leave, depart, come out; — **corriendo** run out
salmo *m.* psalm
salón *m.* drawing room, salon, parlor
salpicadura *f.* splash
salpicar spot, splash
saltar leap, jump, hop, pounce; jump over; spring, spurt; burst, crack, open; **hacer** — blow up
salto *m.* jump, leap, bound
saludable healthy, salutary
saludar greet
saludo *m.* greeting
salvación *f.* salvation
salvador, -a saving
salvaje *m. or f.* savage
salvaje savage
salvar save, cross; — **una distancia** cover a distance
sangre *f.* blood; **en** — bleeding, bloody
sangriento, -a bloody, bleeding, blood-red
sanidad *f.* sanitation; **Sanidad** Sanitary Corps, Medical Corps
sanitario *m.* private in the Medical Corps, stretcher bearer
sanitario, -a sanitary, medical; **convoy** — hospital convoy, hospital train

sano, -a healthy
santo, -a sacred, holy
saquear sack
sargento *m.* sergeant
satisfacción *f.* satisfaction
satisfacer satisfy, please
satisfecho satisfied, pleased, happy
sátrapa *m.* satrap
se himself, herself, itself, yourself, oneself, themselves, yourselves; each other; to himself, *etc.;* to him, *etc.;* one, they, people; *the verb with* **se** *is often equivalent to the English passive*
sea *see* **ser**
secar dry; **-se** dry up
sección *f.* section
seco, -a dry, sharp, harsh, metallic
secretario *m.* secretary
secreto *m.* secret
secundario, -a secondary; **ferrocarril** — branch line
sed *f.* thirst
seda *f.* silk
Sedán Sedan (*city of France*)
sedentario, -a sedentary
sedoso, -a silky
seguimiento *m.* pursuit, chase
seguir follow, continue, go on, remain; — **adelante** go ahead
según according to, as
segundo, -a second
seguramente surely, certainly
seguridad *f.* security, safety
seguro, -a sure, certain
seis six
sellar seal
semana *f.* week
sembrar sow
semejante *m.* fellow man
semejante similar, resembling
sencillo, -a simple
sensación *f.* sensation, feeling
sensibilidad *f.* sensibility, sense, capacity of emotion *or* feeling
sensualidad *f.* sensuality, sensuousness
sensualismo *m.* sensuality
sentado, -a seated
sentarse sit down, seat oneself
sentencia *f.* sentence
sentido *m.* sense, meaning
sentimental *m.* sentimentalist
sentimental sentimental
sentimentalismo *m.* sentimentality
sentimiento *m.* sentiment, feeling
sentir feel
señal *f.* sign, signal
señalar point out, indicate
señas *f.pl.* address
señor *m.* sir, Mr.; master, owner; gentleman
señora *f.* lady, Mrs.
señorial lordly, magnificent
señorita *f.* young lady, Miss
separado, -a separated
separar separate
sepulcro *m.* sepulcher, grave
séquito *m.* retinue
ser *m.* being
ser be; — **de** become of; **sea por lo que sea** whatever may be the reason; **sea quien sea** whoever it may be; **fuese como fuese** in one way or another; **¡ qué será de nosotros!** what will become of us!

serenidad *f.* serenity
sereno, -a serene
serie *f.* series
serio, -a serious
serpenteo *m.* winding trail
servicial obsequious
servicio *m.* service
servilleta *f.* napkin
servir serve, be of use; — **de** serve as, act as, be of use, avail; **¿de qué podía — esto?** of what use could this be?
seto *m.* hedge
severo, -a severe
Sherazada *f.* Scheherazade
si if
sí himself; — **mismo** himself
sido *see* **ser**
siega *f.* reaping
siempre always; **para** — forever
sien *f.* temple
siga *see* **seguir**
siglo *m.* century
significación *f.* significance
significar signify
signo *m.* sign
siguiendo *see* **seguir**
siguiente following
siguiese *see* **seguir**
siguió *see* **seguir**
silbante whistling, hissing
silbar whistle
silbato *m.* whistle
silbido *m.* whistle
silencio *m.* silence
silencioso, -a silent
silueta *f.* silhouette, outline
silla *f.* chair, saddle
sillar *m.* block of stone
simbolizar symbolize
simpatía *f.* sympathy, affection, personal charm
simpático, -a charming, attractive, sympathetic
simple simple
simplemente simply
simplicidad *f.* simplicity, ingenuousness
sin without; — **que** without
sinceridad *f.* sincerity
sintiendo *see* **sentir**
sintieron *see* **sentir**
sintió *see* **sentir**
siquiera even
sirviente *m.* servant, gunner
sirviese *see* **servir**
sistema *m.* system
sitio *m.* place, spot
situación *f.* situation, location
situado, -a situated
soberano *m.* sovereign, ruler
sobra *f.* excess, remainder; **de** — more than enough
sobre upon, on, over, above, about; — **todo** especially
sobrehumano, -a superhuman
sobreponerse a surmount, rise above
sobresalir stand out
sobresalto *m.* start, fright
sobrevenir happen, come unexpectedly
sobrevino *see* **sobrevenir**
sobrino *m.* nephew
social social; **nombre** — commercial name, firm's name
Social-Democracia *f.* Social Democracy
socialista *m.* Socialist
sociedad *f.* society

socorro *m.* help, aid
sofisma *m.* sophistry
sofocado, -a suffocated
sol *m.* sun; **al** — in the sun
solamente only
solar *m.* building plot, site
solar of the sun, sunny
soldadesca *f.* soldiery
soldadito *m.* (*dim. of* **soldado**) little soldier
soldado *m.* soldier; — **de línea** regular infantry soldier
soledad *f.* loneliness, solitude
solemne solemn
solicitud *f.* solicitude
solidez *f.* solidity, firmness
solidificar solidify, become fixed
solitario, -a solitary, deserted, empty
solo, -a alone, single, by oneself; **a solas** alone
sólo only
soltar put down, leave, discharge
solucionar solve, settle
sombra *f.* shade, shadow
sombrero *m.* hat
sombrío, -a gloomy, sad, dark, terrible
someter submit
somos *see* **ser**
sonar sound, ring
sonido *m.* sound
sonreír smile
sonriendo *see* **sonreír**
sonriente smiling
sonrió *see* **sonreír**
sonrisa *f.* smile
sonrosado, -a rosy, reddish
soñar dream
soplar blow
sorber sip
sordo, -a deaf, dull
sorprender surprise
sorpresa *f.* surprise
sospecha *f.* suspicion
sospechar suspect
sostén *m.* support
sostener sustain, support, maintain, keep up, hold
sotana *f.* cassock
sótano *m.* cellar, basement
soy *see* **ser**
su his, her, its, your, their
suave *f.* soft
suavidad *f.* mildness
subir go up, come up, rise, ascend
súbitamente suddenly
súbito, -a sudden
sublevación *f.* uprising, insurrection
sublevarse rebel, revolt
suboficial *m.* underofficer
subrayar underline
subterráneo *m.* cellar, basement, subterranean part
subterráneo, -a subterranean, underground
sucederse follow each other
suceso *m.* event, happening
suciedad *f.* dirtiness; mess
sucio, -a dirty
sudor *m.* sweat, perspiration
sudoroso, -a sweaty, perspiring
suela *f.* sole
suelo *m.* ground, floor, soil
suelto, -a single, loose, alone, stray
sueño *m.* sleep
suerte *f.* fate, luck, fortune; **¡ buena —!** good luck !
sufrimiento *m.* suffering
sufrir suffer

sugerir suggest, give rise to
sugirió *see* **sugerir**
sujetar hold fast
sujeto, -a fastened
sultán *m.* sultan
suma *f.* sum; **en —** in a word, in short
sumir plunge; **-se** sink, relapse
supe *see* **saber**
supeditación *f.* submission
superficie *f.* surface
superior *m.* superior
superior superior, upper
súplica *f.* entreaty, supplication
suplicante supplicating, pleading
suplicio *m.* torture, capital punishment
suplir supply, substitute
supo *see* **saber**
supremo, -a supreme
suprimir suppress, do away with
Sur *m.* South
surcado, -a furrowed
surgir arise, emerge, come out, appear
surtidor *m.* jet, spout
suspender suspend
suspirar sigh
suspiro *m.* sigh
susurro *m.* murmur, rustle
sutil subtle, piercing, thin
suyo, -a his, her(s), its, their(s), your(s); **la suya** his, hers, *etc.;* **lo suyo** his property, what was his; **los suyos** his men, his people

T

taberna *f.* tavern, inn
taconeo *m.* stamping
tal such; **con — que** provided that, if only; **— vez** perhaps
talento *m.* talent, ability
talón *m.* heel
talud *m.* slope
talle *m.* waist
tambaleante staggering, wobbling
también also, too
tambor *m.* drum
tampoco neither, nor, not
tan so, as; **— . . . como** as . . . as
tanto, -a so much, so many, such; **—s** so many, such
tapia *f.* wall
tapicería *f.* tapestry
tardar delay; **— en** be long in, take a long time to
tarde *f.* afternoon
tarde late; **de — en —** from time to time
tardío, -a late, delayed
tartana *f.* (*kind of*) buggy
taxímetro *m.* taximeter
teatral theatrical
teatro *m.* theater
tecla *f.* key
techo *m.* roof, ceiling
techumbre *f.* roof
teja *f.* shingle
tejado *m.* roof
tejido *m.* weave
tela *f.* cloth
telar *m.* loom
telaraña *f.* spiderweb
telefónico, -a telephonic; **línea —a** telephone line
teléfono *m.* telephone
telón *m.* curtain
temblar tremble

temblor *m.* quiver, tremble, trembling
tembloroso, -a trembling, shaking
temer fear
temerosamente timorously, fearfully
temible terrible, dreadful
temor *m.* fear
temperamento *m.* temperament
tempestad *f.* storm
temporalmente temporarily
tenacidad *f.* tenacity, stubbornness
tenaz tenacious, stubborn
tendencia *f.* tendency
tender extend, hold out, stretch; **-se** stretch out
tendido, -a reclining, stretched out
tendrá *see* **tener**
tendría *see* **tener**
tener have, keep; — **veinte años** be twenty years old; — **cuidado** take care; — **frío** be cold, feel cold; — **miedo** (**a**) be afraid (of); — **parte en** have a hand in; — **por** consider; **no** — **por qué** have no reason to; — **que** have to, be obliged to; **las plantas tenían sangre** there was blood on the plants; **sus motivos tendrían** they must have their reasons
tenga *see* **tener**
teniente *m.* lieutenant
tenue weak, faint
tercer, tercero, -a third
terminación *f.* termination, end
terminante decisive
terminar finish, complete, end
término *m.* term, limit, close, end, extreme
ternura *f.* tenderness
terreno *m.* ground, land, country, field
terrible terrible
territorial *m.* territorial soldier (*of French army who has completed his active and reserve military service and is subject to call only in case of necessity, for service on French soil*)
territorio *m.* territory
terrón *m.* clod, lump of earth
terror *m.* terror
terrorífico, -a terrifying
testa *f.* head
testarudez *f.* stubbornness, obstinacy
testarudo, -a stubborn
testigo *m.* witness; — **presencial** eyewitness
testimonio *m.* testimony, proof
testuz *f.* forehead (*of animal*)
tiembla *see* **temblar**
tiempo *m.* time, weather; **a —s** in time; **—s** times, period, epoch; **en los últimos —** lately
tienda *f.* store, shop
tierno, -a tender
tierra *f.* earth, field, land, country; **en —** on the ground
tiesura *f.* stiffness, haughtiness
tilo *m.* linden tree
timbre *m.* bell
tímido, -a timid, shy
tina *f.* tub
tinieblas *f. pl.* darkness
tío *m.* uncle

tipo *m.* type
tira *f.* tatter, strip
tirador *m.* shooter
tiranía *f.* tyranny
tirar pull, draw; shoot, fire; **— de** pull, draw
tiro *m.* shot; **a —s** with shots; **caballo de —** dray horse; **bestias de —** draught animals
tirón *m.* pull, tug, effort, jerk
tirotear fire
título *m.* title, name
tiza *f.* chalk
tizón *m.* piece of charred wood
tocador *m.* dresser
tocar touch, play (*a musical instrument*)
todavía still, yet
todo, -a all, every, whole; **todo** *pron.* everything, anything; **—s** all, everybody, anybody; **—s ellos** all of them; **— el mundo** everybody; **— un** a whole; **— lo que** everything *or* anything that, whatever; **por toda respuesta** as his only answer
Toledo Toledo (*a city of Spain*)
tolerancia *f.* tolerance, indulgence
tolerante tolerant
tomar take
tonel *m.* cask, barrel
tono *m.* shade, tone
torbellino *m.* whirlwind
torcer twist, turn
tormenta *f.* storm
tormento *m.* torment
torno; en —, en — de around, about
torpe clumsy, dull
torre *f.* tower
torrente *m.* torrent
torreón *m.* round tower, turret
tortuoso, -a winding, twisting
tortura *f.* torture
torturante torturing
trabajador *m.* laborer, workman
trabajar work, labor
trabajo *m.* work, labor, trial
trabajoso, -a labored, painful
tradición *f.* tradition
traducción *f.* translation
traducir translate
traduje *etc. see* **traducir**
traer bring, carry
tragar swallow
tragedia *f.* tragedy
trágico, -a tragic
traición *f.* treachery
traicionar betray, foil
traidor, -a treacherous
traidoramente treacherously
traje *m.* suit, costume; **baile de —s** costume ball
traje *etc. see* **traer**
tralla *f.* whip
trallazo *m.* crack of a whip
tranquilamente tranquilly
tranquilidad *f.* tranquillity
tranquilizar calm, quiet, tranquilize
tranquilo, -a tranquil, calm
transcurrir pass, elapse
transeunte *m.* passer-by
transformación *f.* transformation, change
transformar transform
tránsito *m.* passing, passage
transmitir transmit, communicate
transparentar show through

transportable transportable
transporte *m.* transportation
tras after; — **de** after, behind
trascendencia *f.* transcendence
trasladar move; **-se** move
trastorno *m.* disorder, confusion, turmoil, upheaval
tratar treat; — **de** try
través; a — **de** through, across
trayecto *m.* passage, trip, distance, route
trayendo *see* **traer**
trazar trace
treinta thirty
trémulo, -a tremulous
tren *m.* train
tres three
triángulo *m.* triangle
tribu *f.* tribe
tributo *m.* tribute
tricolor tricolor
tripa *f.* intestine; —**s** bowels
triple triple, three-fold
triste sad
tristeza *f.* sadness
triunfador *m.* triumpher, victor
triunfador, -a triumphing
triunfar triumph
triunfo *m.* triumph
tronador, -a thundering
tronar thunder
tronco *m.* trunk
tronchar split, break away
trono *m.* throne
tropa *f.* troop, army
tropel *m.* troop, crowd, mob; **en** — in a crowd
tropezar meet, encounter, stumble; — **con** stumble over, stumble against
trotar trot
trote *m.* trot
trozo *m.* piece
trueno *m.* thunderclap
tú thou, you
tubérculo *m.* tuber (*potatoes, etc.*)
tubo *m.* tube, barrel
tumbar knock down, throw down
túnica *f.* tunic
turbante *m.* turban
turbar disturb
turco, -a Turkish
Turquía *f.* Turkey
tuve *etc. see* **tener**
tuviera *see* **tener**
tuyo, -a yours, of yours; **el** — yours

U

u or (*before* **o** *or* **ho**)
ubre *f.* udder
último, -a last, latter
ultraje *m.* abuse, outrage
un, una a, an, one; **unos, -as** some, a few, about; **una y otra parte** both sides; **unos cuantos** a few. *See* **uno**
unánime unanimous
unanimidad *f.* unanimity
unción *f.* fervor
únicamente only
único, -a only, sole, single; **lo** — the only thing
unidad *f.* unity, unit
unido, -a united, joined
unificar unify
uniforme *m.* uniform
unir unite, join; **-se** join, be joined
universal universal

universidad *f.* university
universitario *m.* university man
uno, -a one; **—s** some, a few; one; **— a —** one by one; **—s a otros** each other, one another; **—s . . ., otros** some . . ., others; **todos eran —s** they were all the same. *See* **un**
uña *f.* fingernail
usar use
uso *m.* use
usted you
utilidad *f.* utility, use
utilizar utilize, use

V

va *see* **ir**
vaca *f.* cow
vaciar empty
vacilación *f.* vacillation
vacilante vacillating, hesitating, uncertain
vacilar hesitate, vacillate, stagger
vacío *m.* vacuum, emptiness, vacancy, void, space, absence
vacío, -a empty
vacuno, -a bovine
vado *m.* ford
vagabundo *m.* tramp
vagamente vaguely
vagar wander
vago, -a vague
vagón *m.* railroad car; **— de carga** freight car; **— de cola** " tail-end " car
vaivén *m.* coming and going, jolt, shock, commotion
vajilla *f.* table service
Valencia *f.* Valencia
valenciano, -a Valencian
valer be worth; gain, bring; **-se de** make use of, have recourse to, employ
valetudinario *m.* invalid, sick person
valor *m.* value, courage, bravery; **— personal** courage
valla *f.* fence, hedge
valle *m.* valley
vamos *see* **ir**
van *see* **ir**
vanguardia *f.* vanguard
vano, -a vain; **en —** in vain
vapor *m.* vapor, smoke, mist
vara *f.* rod
variedad *f.* variety
vario, -a varying; **varios, -as** several; **a varios kilómetros** from a distance of several kilometers
vaya *see* **ir**
ve *see* **ir**
veces *see* **vez**
vecindad *f.* neighborhood
vecindario *m.* inhabitants, population
vecino *m.* neighbor
vedija *f.* lock *or* piece of wool; **— de niebla** fleecy mist
vegetación *m.* vegetation
vehemencia *f.* vehemence
vehículo *m.* vehicle, conveyance
veinte twenty
vejez *f.* age, old age
velado, -a veiled, concealed, hidden
velocidad *f.* speed, velocity, swiftness, rapidity; **a toda —** at full speed

vencedor, -a victorious
vencer overcome, conquer, win
vencido, -a conquered
vendado, -a bandaged
vendaje *m.* bandage
vendedor *m.* dealer, merchant
vendría *see* **venir**
venganza *f.* vengeance
vengar avenge, take revenge
vengativo, -a revengeful
vengo *see* **venir**
venida *f.* coming
venir come; **venían a estallar** happened to explode, exploded
ventaja *f.* advantage, gain
ventana *f.* window
ventanal *m.* large window
ventanillo *m.* (*dim. of* **ventano**) little window
ventano *m.* little window
ventanuco *m.* (*dim. of* **ventano**) little window
ventura *f.* chance; **a la —** guided by chance, without direction
ver see; **-se** see oneself, be
veracidad *f.* truthfulness
veraniego, -a of summer, summery
verano *m.* summer
veras; de — truly, really
verbosidad *f.* loquaciousness
verdad *f.* truth; **ser —** be true
verdadero, -a true, real
verde *m.* green color
verde green
verdoso, -a greenish
verdugo *m.* executioner
Verdún Verdun (*city of France*)
vergonzoso, -a shameful
verja *f.* iron gate, iron fence
vertical vertical
verticalidad *f.* verticality, upright position
vertiginoso, -a dizzying
vestido, *m.* dress, garment
vestidura *f.* garment, clothes
vestigio *m.* vestige, trace
vestir dress, wear, be dressed in; **— de** dress in
vez *f.* time, turn; **a la —** at the same time; **a su —** in his turn; **cada — más lejos** further and further; **de — en cuando** from time to time, now and then; **en — de** instead of; **otra —** again; **rara —** rarely, seldom; **tal —** perhaps; **una —** once; **una — más** once more
vía *f.* way, road, track; **— férrea** railroad
viajar travel
viaje *m.* trip, journey
vibrante vibrant
vibrar vibrate
víctima *f.* victim
victoria *f.* victory
victorioso, -a victorious
vida *f.* life
vidrio *m.* glass, pane
vidrioso, -a glassy
vieja *f.* old woman
viejo *m.* old man
viendo *see* **ver**
viento *m.* wind
vientre *m.* abdomen
vieron *see* **ver**
viese *see* **ver**
viga *f.* beam

vigilancia *f.* vigilance, care
vigilar watch
vigor *m.* vigor, energy, power
vigorosamente vigorously
vigoroso, -a vigorous, powerful
Villeblanche Villeblanche
vine *etc.* *see* **venir**
vinieron *see* **venir**
viniese *see* **venir**
vino *see* **venir**
viña *f.* grape vine
vino *m.* wine
vió *see* **ver**
violencia *f.* violence, act of violence
violentar force
violento, -a violent
virar veer, turn
virtuoso, -a virtuous
víscera *f.* entrail, vital organ
visera *f.* visor, brim
visible visible, apparent
visiblemente visibly
visión *f.* vision, sight
visita *f.* visit, visitor
visitar visit
víspera *f.* eve, day before; **en —s de** on the point of
vista *f.* look, sight, eyes
vistiendo *see* **vestir**
visto, -a *see* **ver**
visual visual
vitrina *f.* cabinet
viuda *f.* widow
vivaquear bivouac, encamp
víveres *m. pl.* provisions, supplies
vívido, -a vivid
vivienda *f.* house, dwelling-place, home
viviente living
vivir live; **¡viva!** long live!
vivo *m.* living person
vivo, -a living, live, alive, quick, vivid; **tenían los pies en carne viva** their feet were raw and bleeding
vocación *f.* vocation, calling
vociferación *f.* vociferation, clamor
vociferante shouting, noisy
voladura *f.* explosion, blowing-up
volante flying, floating
volar fly, fly away; blow up
volcán *m.* volcano
volcar turn over, upset
voltear roll, wave, whirl, overturn
volteo *m.* turn, whirling
volumen *m.* volume, size
voluminoso, -a voluminous, huge
voluntariamente voluntarily
voluntad *f.* will, determination
volver turn, return; **— a** + *inf.* (do something) again; **— la vista atrás** look back; **-se** turn, become; **— sobre sus pasos** retrace his footsteps; **vueltos de espaldas** with their backs turned
vomitar vomit
voz *f.* voice; **dar la —** give the word
vuelo *m.* flight
vuelta *f.* return, turn, twist
vuelto, -a *see* **volver**
vulgar vulgar, commonplace
vulgo *m.* mob, populace

W

walkiria *f.* Valkyrie (*mythical maidens who conducted the slain heroes to Valhalla, the heaven of the ancient Norsemen*)

Y

y and

ya already, now; — **no** no longer, no more; — **que** now that, since

yendo *see* **ir**

yerno *m.* son-in-law

Z

zapato *m.* shoe

zapatón *m.* (*aug. of* **zapato**) heavy shoe

Zola (Emilio) Émile Zola (*French writer*, 1840–1902)

zuavo *m.* Zouave (*a kind of French infantry soldier*)

zumbar buzz, hum

zumbido *m.* buzzing